ESTE AÑO ESCRIBES
TU NOVELA

Este año escribes tu novela

WALTER MOSLEY

Traducción: Óscar Palmer Yáñez

ES POP EDICIONES

TÍTULO ORIGINAL:

This Year You Write Your Novel
Little, Brown & Company
Nueva York, 2007

ES POP EDICIONES

1ª EDICIÓN: NOVIEMBRE 2023

Publicado por
ES POP EDICIONES
Mira el río alta, 8 - 28005 Madrid
www.espop.es

CORRECCIÓN DE FERROS:
Manuela Carmona y David Muñoz

DISEÑO Y MAQUETA:
El Pulpo Design

LOGO:
Gabi Beltrán

IMPRESIÓN Y ENCUADERNACIÓN:
Huertas

Impreso en España
ISBN: 978-84-17645-22-9
Depósito legal: M-4114-2023

En memoria de William Matthews

Índice

Introducción

He decidido escribir este libro como guía para cualquier persona que desee comprometerse con la tarea de comenzar y completar una novela en el plazo de un año. En sus páginas vas a encontrar todo el conocimiento que he acumulado a lo largo de mi carrera sobre la escritura —y la reescritura— de obras de ficción.

Escribir una novela no es ni de lejos tan complicado como a determinados individuos les gustaría dar a entender. Cualquier persona capaz de comunicarse verbalmente o mediante signos es, en cierto modo, un narrador. Cualquier gerente, madre, abogada, profesor o gandul proclive a pasarse el día en una esquina hilvanando cuentos chinos es un escritor en ciernes.

Lo que voy a intentar poner de manifiesto en este libro es el modo en que uno puede reconducir su capacidad natural para la comunicación hacia la prosa creativa.

No obstante, antes de que iniciemos el viaje, tengo que hacerte un par de advertencias sobre nuestra meta.

En primer lugar, estoy bastante seguro de que cualquier persona que lea este manual y ponga en práctica con tesón las lecciones en él contenidas será capaz de producir un borrador completo de una novela *corta*. Recalco la palabra «corta» porque dudo que haya muchos novelistas bisoños capaces de completar una obra de extensión equivalente a la de *Casa desolada* o *Guerra y paz* en el tiempo estipulado. No prometo una obra maestra, sólo una primera novela correcta de cierta longitud (pongamos entre cincuenta mil y sesenta mil palabras).

En segundo lugar, tampoco te prometo que vayas a producir necesariamente una novela destinada a generar entusiasmo en el mundillo editorial. Podría darse el caso de que tu historia y tu prosa sean las adecuadas para despertar el interés de un editor. También podría ocurrir que escribas una obra hermosa que no interese a nadie. Y, por supuesto, bien podría ser que el primer fruto de tu vocación literaria simplemente no esté a la altura de las exigencias mínimas requeridas por la industria.

No te puedo prometer un éxito mundial, pero sí me atrevo a asegurar que, si sigues las indicaciones contenidas en este manual, experimentarás la satisfacción personal de haber escrito una novela. A partir de ese momento, cualquier cosa es posible.

* * *

La parte central de este libro está dividida en cinco capítulos esenciales. Comienza con las disciplinas y procederes generales que debe adoptar el o la aspirante a novelista. Estas prácticas te ayudarán a superar muchas de las barreras emocionales, intelectuales y psicológicas que suelen afectar a prácticamente todos los escritores.

A continuación te ofreceré una explicación detallada de los elementos indispensables en la escritura de una obra de ficción. Hablaré sobre historia y trama, personajes y su desarrollo, la diferencia entre mostrar y describir, y sobre la voz narrativa. A modo de colofón, este capítulo concluirá con una reflexión sobre la importancia de la poesía para cualquier autor.que se precie. Estas son las herramientas del novelista, sus instrumentos de navegación; sin ellas, la historia que deseas contar perderá el rumbo y acabará naufragando.

Tras haberte familiarizado con estas herramientas, te explicaré varios métodos para comenzar a escribir tu novela. También hablaré sobre el proceso de escritura, detallando cómo llegar a crear un primer borrador sin grandes sufrimientos.

Una vez que hayas aprendido a mantener una dinámica de trabajo y estudiado las herramientas que te permitirán completar la tarea, exploraremos diversas técnicas de edición, que es otro término para referirse a la reescritura. La reescritura es la parte más importante del oficio de novelista; aquí es donde empieza el trabajo de verdad. El primer borrador es poco más que un esquema de la novela que deseas escribir. La reescritura va a ser lo que te permita moldear tu historia hasta que empiece a cantar con voz propia.

outline

why make yr story into song

Concluida esta lección de música, hablaremos sobre varias cuestiones relacionadas con el género, el estilo y el mundillo de la edición.

* * *

these few pgs

Cuando hayas terminado de leer este centenar escaso de páginas, creo a pies juntillas que estarás preparado o preparada para escribir tu propio libro. A partir de ese momento, lo único que vas a necesitar es el deseo y la voluntad de escribir tu novela.

1

Disciplinas generales que todo escritor necesita

escribir a diario

Lo primero que debes saber sobre la escritura es que se trata de una disciplina que tienes que practicar a diario; cada mañana o cada noche, aprovechando el tiempo del que dispongas. En circunstancias ideales, la franja horaria elegida debería ser la misma en la que sueles estar más concentrado.

Hay dos motivos para esta regla: hacer el trabajo y conectar con tu mente inconsciente.

Si de verdad quieres terminar tu novela en el plazo de un año, tienes que ponerte manos a la obra. ¡No hay tiempo que perder! No te puedes quedar sentado de brazos cruzados a la espera de que llegue la inspiración. Plasmar *to get* tus palabras sobre la página requiere tiempo. ¿Cuánto? Yo escribo tres horas todas las mañanas. Es lo primero que hago nada más levantarme. De lunes a domingo, cincuenta y dos semanas al año. Ocasionalmente me salto un día, pero esto raramente ocurre más de una vez al mes. Escribir es una ocupación seria que implica cierto nivel de constancia y rigor.

Por otra parte, el empeño y la regularidad son sólo el germen de la disciplina y las recompensas que te brindará el hecho de escribir a diario.

Lo más relevante que he aprendido sobre la escritura es que se trata en mayor medida de una actividad inconsciente. ¿Qué quiero decir con esto? Quiero decir que una novela abarca muchas otras cosas al margen de las que crees tener en tu cabeza (o mente consciente). Las conexiones, estados de ánimo, metáforas y experiencias que conjurarás en el momento de escribir surgirán de un lugar oculto en tu interior. En ocasiones te preguntarás quién es el autor de esas palabras. Otras veces te verás arrastrado por una pasión febril mientras relatas un enrevesado viaje a través del atribulado corazón de tu protagonista. En esos momentos habrás entrado en contacto con ese lugar oculto en lo más profundo de tu ser, un rincón del que también brota el entusiasmo que, para empezar, te despertó el anhelo de ser escritor.

La mejor manera de acceder a este rincón oculto de tu inconsciente es escribiendo a diario. Puede que ni siquiera escribiendo *per se*. Es posible que algunos días estés reescribiendo, releyendo o simplemente ojeando el texto. Con eso basta para volver a zambullirte en la corriente onírica *the dream* de tu historia.

Y te preguntarás: ¿qué es eso de la corriente onírica de una historia? Se trata de un estado de ánimo y un conti- *mood* nente° de ideas que subyacen bajo tu mente consciente; un lugar al que te vas acercando de manera progresiva mediante cada nueva incursión en las palabras y mundos que *foray* componen tu novela.

Aunque sólo hayas dedicado hora y media a escribir de manera activa tu libro, tu inconsciente se va a pasar trabajando el resto de la jornada, sembrándola de momentos en los que tu mente va a regresar una y otra vez a los resquicios explorados por tus palabras. Durante tus horas de sueño, las simas de tu inconsciente mueven montañas. Cuando te despiertes y retomes tu novela, te sorprenderá comprobar que has llegado más lejos de donde lo dejaste ayer.

Si dejas pasar uno o más días entre tus sesiones de escritura, tu mente se irá distanciando progresivamente de estos momentos de profundidad. Descubrirás que te cuesta más trabajo y esfuerzo alcanzar un estado mental al que habrías accedido sin demasiados problemas si hubieras continuado escribiendo a diario.

Algunos días se te pasará la hora sin que se te haya ocurrido nada; no te preocupes. Otros días desearás haber tenido más tiempo; tampoco pasa nada. Siempre puedes seguir mañana justo donde lo dejaste.

* * *

Si quieres llegar a ser escritor, tienes que imponerte una rutina diaria y reservar un lapso de tiempo (nunca menor de hora y media) para sentarte frente al ordenador o con una libreta. Sé que no es fácil. Algunos lectores de este manual vivirán en espacios reducidos, apretujados junto a sus seres queridos. Otros tendrán empleos tan agotadores que la mitad del tiempo serán incapaces de pensar con claridad. Otros tendrán retoños que exigirán su atención *little ones* en cualquier momento del día o de la noche.

Ojalá tuviera una solución para estos inconvenientes. No la tengo. Lo único que puedo decirte es que, si quieres terminar tu novela este año, vas a tener que escribir todos los días.

aprender a escribir sin restricciones *restraint*

El autocontrol es la herramienta que posibilita que vivamos en sociedad. La mayor parte del tiempo, nos abstenemos de expresar nuestra ira o nuestra lujuria. La mayoría de nosotros no robamos, ni asesinamos ni violamos. A nuestras mentes acuden numerosas palabras que jamás llegaremos a pronunciar, ni siquiera cuando estemos a solas. Imaginamos actos terribles, pero los expulsamos de nuestra mente antes de que tengan oportunidad de madurar y eclosionar de algún modo. *emerge fully*

Casi todos los seres humanos poseen un dominio emocional sobre sí mismos. Ni nuestros amigos más íntimos, ni nuestros compañeros de trabajo, ni nuestros familiares llegarán a conocer jamás los impulsos perversos y los arrebatos brutales que anidan en nuestro pecho. *reside*

Esta capacidad para el autocontrol es positiva. Por mi parte, sé perfectamente que, con frecuencia, tengo sentimientos antisociales. A veces me basta con ver a determinada persona caminando por la calle para que al diablo que reside en mi interior le entren ganas de gritar ciertas cosas que resultarían desagradables de oír. Expresar estos instintos asociales no produciría nada bueno… al menos en la mayoría de las situaciones.

El escritor, sin embargo, debe aflojar las riendas que lle- *bonds* van todos estos años refrenándolo. Concupiscencia, odio por sus hijos, el deseo de darse un atracón con la sangre de *"taste"* sus enemigos… Todos estos sentimientos y muchos otros *feast* deben, en ocasiones, abrirse paso por el cerebro del autor o autora.

Puede que tu protagonista, por ejemplo, sienta en determinado momento desprecio por su madre. «Hiede a orina y tintorro», piensa. «Y parece una ciruela pasa picada *red wine* de viruela». *shriveled, pitted prune*

Se trata de un sentimiento antipático, no cabe duda, pero ¿sirve para resaltar el carácter de tu protagonista? Esa *bring into focus* es la única pregunta relevante en este caso. Y no hay manera de esquivarla. Tus personajes tendrán aspectos desagrada- *get amb it* bles; a veces serán amargados, racistas, crueles, depravados.

17 *picar mince peck itch*

«¡Por supuesto!», dirás tú. «Los antagonistas, los malos de mi novela, serán así. Pero no mis héroes ni mis heroínas».

Te equivocas de cabo a rabo. *Not so.*

Tanto la historia que vayas a contar como los personajes que vayas a presentar tendrán indefectiblemente sus aspectos turbios. Si deseas escribir una obra de ficción creíble, tendrás que cruzar la raya de tu autocontrol y regodearte *revel* en palabras e ideas que jamás se te ocurriría expresar en tu vida cotidiana.

* * *

Nuestro condicionamiento social no es lo único que refrena nuestros impulsos creativos. También nos vemos limitados por un falso sentido de la estética: ese conjunto de ideas que hemos desarrollado en nuestras escuelas y bibliotecas o prestando atención a los dictámenes de críticos que se adhieren a un concepto mal entendido de canon literario. Muchos autores llegan a la disciplina tras haber leído a los viejos y nuevos maestros. Han estudiado a Dickens y a Melville, a Shakespeare y a Homero. A partir de estas grandes obras de antaño, desarrollan tics y automatismos *reflexes* que provocan que sus palabras suenen acartonadas *stiff* y poco naturales.

Muchos autores y muchos profesores de escritura dedican tanto tiempo a comparar su prosa con la de los grandes clásicos que pierden la voz contemporánea de la novela que estamos creando en este preciso momento.

[nota manuscrita: tranca palo, estaca; borrachera, melopea, castaña]

No te vas a hacer escritor imitando los tonos y frases, la forma o el contenido de las grandes obras del pasado. El corazón de tu novela es el tuyo propio; al margen de en qué época decidas ambientarla, se trata de un libro sobre el ahora, escrito para un público contemporáneo con la intención de expresar una historia que sólo podría haber surgido de ti.

No me malinterpretes; por supuesto que puedes leer cualquier obra y extraer lecciones de ella, pero tu aprendizaje también va a proceder de canciones contemporáneas, boletines informativos, artículos de revista y conversaciones oídas en la calle. Una novela es una obra prosaica sobre *[nota manuscrita: pedestrian]* la vida cotidiana de santos y picapedreros. *[nota manuscrita: bricklayers]*

* * *

Otra fuente de contención para el escritor es el uso de la confesión personal y el subsiguiente sentimiento de culpabilidad que a menudo deriva de ella. Muchos autores se sirven de sí mismos o de sus familiares y amigos como modelos para los personajes que plasman sobre la página. Es posible que una joven que haya reñido con su madre decida desarrollar una historia en la que aparezca una figura materna excesivamente dura, quizás incluso despiadada. En un primer momento, la autora se implica *[nota manuscrita: htless]* emocionalmente hasta las trancas y escribe la historia con *[nota manuscrita: wades in]* toda su veracidad y aspereza. Sin embargo, más tarde, dominada por el sentimiento de culpa, recula y acaba

desunida
delvida

producindo una versión desleída. Puede que deje de escribir durante una temporada o que cambie por completo de tema.

En cualquiera de los casos, la novela sufre.

Esta aspirante a novelista se ha traicionado a sí misma renunciando a contar la historia que intentaba abrirse paso desesperadamente desde su interior. En cambio, ha preferido no respaldar la verdad puesta de manifiesto gracias al rigor de la escritura diaria.

Esta forma de contención es muy habitual y completamente innecesaria.

Para empezar, tu madre no está leyendo lo que estás escribiendo. Hasta el día en que se publiquen, todas estas palabras van a formar parte de tu reserva privada.

También deberías esperar hasta haber completado la novela antes de empezar a juzgar su contenido. Al cabo de veinte borradores, es muy posible que los personajes hayan desarrollado vidas propias, completamente al margen de las personas en las que los basaste al comenzar. E incluso si alguien, en algún momento, se molesta por lo que puedas haber escrito… ¿qué más da? Vive tu vida, canta tu canción. Cualquier persona que te quiera de verdad deseará que lo logres.

* * *

No permitas que los sentimientos te impidan escribir. No permitas que el mundo te refrene. Tu historia es lo más importante que vas a abordar este año. Es tu año; aprovéchalo al máximo.

escaqueos, arranques en falso y otros callejones sin salida

Muchos novelistas en ciernes dedican una cantidad exagerada de tiempo a evitar la tarea pendiente. El modo más habitual de hurtar tiempo supuestamente destinado a la escritura es cayendo en la procrastinación, la principal enemiga del escritor. Poco puedo decirte al respecto aparte de que, una vez que has tomado la decisión de escribir todos los días, debes obligarte a sentarte ante la mesa o el escritorio durante el plazo asignado, tanto si estás emborronando el papel con palabras como si no. Oblígate a cumplir el horario aun en el caso de que te parezca que el trabajo no está dando sus frutos. Con suerte, al cabo de varios días o semanas de verte encadenado a la mesa, esa historia que exige ser contada acabará por subyugarte.

* * *

La procrastinación pura y dura es la peor enemiga del escritor, pero no es ni mucho menos la única. Pensemos en la autora que de repente recuerda tareas pendientes que lleva meses sin solventar, pero que ahora parecen cobrar renovada urgencia; en el diarista que experimenta el acuciante deseo de consignar un suceso reciente en su dietario en vez de seguir escribiendo su novela; en la buena samaritana empeñada en redoblar sus esfuerzos por salvar al mundo precisamente ahora; en el típico que mucho abarca y poco aprieta e inicia un proyecto al mismo tiempo que ya está ideando otros diez de idéntica o superior importancia.

Olvídate de todo eso. No escribas en tu diario a menos que lo que estés escribiendo sea un capítulo de tu novela. Salva el mundo a partir de las ocho y media en vez de a las siete. Deja que las malas hierbas del jardín crezcan un par de centímetros y que la pintura siga desconchándose en las paredes.

Durante el lapso de tiempo diario que te hayas reservado para escribir tu novela, no hagas absolutamente nada más. Apaga el teléfono. Si llaman a la puerta, no abras. Diles a tus seres queridos que no te interrumpan. Y, si no son capaces de respetar tu compromiso, vete a escribir a la biblioteca o a una cafetería. Alquila un cuarto si no te queda más remedio. Pero asegúrate de respetar el tiempo que has reservado para escribir tu novela.

una última nota sobre el proceso

El proceso de escribir una novela es como salir a navegar en barco. Continuamente has de estar pendiente de corregir el rumbo. Si te distraes o permites que la corriente te arrastre a la deriva, nunca llegarás a tu destino. No vas a contar con un trayecto claramente marcado por vías férreas o carreteras, tendrás que ir descubriéndolo a medida que lo vayas creando. Caminante no hay camino, se hace camino al andar. El viaje es tu narración. No te despegues nunca de ella y al final habrás contado una historia.

2
Los elementos de la ficción

la voz narrativa

El primer elemento con el que se encuentra un lector cuando empieza una novela es la voz que narra la historia. Esta voz narrativa nos va a acompañar desde la primera página hasta la última, y nosotros, los lectores, debemos creer en ella. Como mínimo, debería hacernos sentir algo que nos permita labrarnos una opinión concreta y constante sobre su idiosincrasia.

Las palabras iniciales de la novela nos van a aportar de inmediato información, imágenes y emociones; todo al unísono, tal como ocurre cuando paseamos por la calle y alguien se pone de repente a contar batallitas en una esquina. *tales*

«Un tipo acaba de salir de ese edificio en llamas, rojo como una gamba y echando humo... ¡literalmente!», dijo Joe Feller tensando su voz cazallera. his voice straining + hoarse

Este brevísimo diálogo nos introduce de inmediato en un acontecimiento sobre el que ya hemos averiguado varios detalles al tiempo que nos hace sospechar de unos cuantos más. Un edificio se ha incendiado. En el interior del mismo había un individuo que ha conseguido escapar de las llamas. Quizá fuese una víctima, quizá fuese un héroe. Incluso es posible que se trate del pirómano que ha provocado el incendio, aún no lo sabemos. Pero la voz de Joe Feller tiene autoridad y estamos dispuestos a escucharle para descubrir más cosas sobre este individuo sofocado y humeante.

Esa es la voz narrativa. En realidad, son más de una. Está la del personaje (Joe Feller) expresándose con sus propias palabras, pero luego tenemos otra voz (la del autor) que nos indica lo que ha dicho el personaje y nos detalla su estado emocional mediante la descripción de su tono ronco y forzado.

Existen muchas clases y estilos de voz narrativa y resulta imperativo que decidas cuál de ellas vas a utilizar para contar tu historia. Aunque si analizásemos las narraciones de las novelas que has leído a lo largo de tu vida podríamos encontrar miles de diferencias sutiles entre ellas, sólo tienes que familiarizarte con tres tipos. En realidad hay cuatro, pero la última es una voz que jamás deberías usar: la tuya propia.

narración en primera persona

Explicada de la manera más simple, la narración en primera persona es aquella en la que la historia está contada desde el punto de vista del «yo».

Conocí a Josh Sanders el primer día de marzo de 1963. Era un hombre tímido y de manos grandes del que emanaba un leve aroma terroso. Me recordó a mi abuelo, al que odiaba más que a Judas.

Desde la primera palabra sabemos que mantenemos una relación íntima con el narrador de este relato. Él o ella tiene un nombre, una edad y una historia que iremos averiguando a medida que continuemos leyendo. Es nuestra puerta de entrada a la novela. Puede que sea una estudiante universitaria o una analfabeta. Puede que sea encantadora, quejicosa o incluso indigna de confianza. Todos y cada uno de los detalles que vayamos descubriendo sobre este narrador o narradora nos ayudarán a comprender mejor la historia que nos está contando.

Esta es la voz narrativa que nos resulta más familiar, aquella con la que todos relatamos de manera natural las anécdotas acontecidas en nuestro día a día a las personas que conocemos. Una narración en primera persona te encadena a esta única voz. Por lo tanto, el personaje —o por lo menos su punto de vista— debe resultar sugestivo.

Su historia ha de evocar sentimientos intensos en los lectores. Debemos sentirnos impelidos a empatizar con sus experiencias y a interesarnos por el entorno en el que se desenvuelve. Establecemos una conexión emocional con este narrador o narradora y, debido a este vínculo, vamos a querer averiguar qué es lo que sucede en su historia.

Esto no implica en modo alguno que hasta la última pizca de información presentada en la novela deba provenir directamente de esta voz. Durante sus peripecias, nuestra narradora (llamémosla Sally) conocerá a otras personas, charlará con ellas, oirá sus conversaciones, leerá cartas y artículos en el periódico; tendrá sueños que podrían revelar acontecimientos relevantes de su vida. La autora incluso podría incluir un pasaje en el que Sally leyese fragmentos de otra novela o de un ensayo escritos con una voz narrativa completamente distinta. Existen decenas de maneras de romper la narración incluso cuando ésta es en primera persona, pero todo fluye a través de la conciencia de la narradora. Así pues, debes mantenerte fiel a su voz.

Cuando digo que debes mantenerte fiel a la voz de tu narradora, me refiero, entre otras cosas, a que no puedes hacer que vaya cambiando de personalidad para adecuarse al propósito de tu historia. Tampoco puede tener la capacidad de leerles el pensamiento a los demás personajes; sólo puede saber aquello que ha experimentado o averiguado de primera mano. Y tiene que verse limitada por sus circunstancias (por ejemplo, su ubicación física en cualquier momento determinado, su educación, su situación vital, su estado emocional, etcétera). *in life*

El narrador en primera persona es el conducto a través del cual debe fluir toda la información contenida en la novela; por lo tanto, nunca debes poner en entredicho la impresión que se haya podido hacer el lector sobre la realidad del personaje. No puedes minar su autoridad. No puedes, por ejemplo, insertar de repente una frase como: «Sally nunca conoció a su madre, porque Nelda Smith murió al dar a luz». ¿Quién ha dicho eso? Evidentemente, no ha sido Sally. Ha sido el autor. La voz del escritor se ha inmiscuido en la historia. Este detalle se basta y se sobra para destruir la fe del lector en las palabras que está leyendo. La novela se sale de órbita y la historia queda perdida en el espacio. Si necesitas transmitir una información específica, Sally tiene que pensarla, pronunciarla en voz alta, leerla, recordarla u oírla expresada en boca de otro personaje.

Reconozco que se trata de un ejemplo extremo, pero un autor puede cometer otras intrusiones más sutiles y, no obstante, igualmente desastrosas.

Pongamos que tu protagonista no ha gozado de una buena educación académica. El lector es consciente de este hecho debido a su uso limitado de vocabulario, a sus estructuras gramaticales sencillas y a varias otras pistas que ha ido dejando caer por el camino. De repente, alguien le hace una pregunta y Sally responde: «No me cabe ni un ápice de duda, caballero». ¿Perdón? ¿Quién ha dicho eso? El autor, no el personaje.

También puede ocurrir que tu narradora entienda de repente los motivos ocultos para las acciones de otro personaje de un modo que violenta la credulidad del lector. Durante lo que llevamos leído de la novela, Sally no ha demostrado ser particularmente perspicaz a la hora de analizar psicológicamente a los demás, pero de repente piensa: «Parecía estar a malas con su madre. Me quedó claro cuando me percaté de que jamás miraba a las mujeres directamente a los ojos». Podría ser una observación perfectamente válida si la historia narrada hasta ese momento le hubiese dado al lector motivos para creer en la agudeza psicológica de Sally, pero si ésta no ha dado en las doscientas páginas anteriores el menor indicio de poseer semejante capacidad de discernimiento para manifestarla de repente como por arte de magia, el lector se quedará confundido y la historia naufragará*.

* * *

La narración en primera persona es una forma narrativa poderosa, pero también muy complicada. Es poderosa porque te permite intimar con las emociones y procesos

---

* Parte de esta cuestión tiene que ver con el desarrollo de los personajes en el transcurso de la historia. Ya llegaremos a eso.

internos de un ser humano muy real mientras te está contando su historia; es complicada porque la caracterización de dicho ser humano ha de ser perfecta en todo momento para que el lector acepte su credibilidad.

Luego está la dificultad añadida de asegurarse de que nuestra narradora en primera persona es lo bastante interesante como para que uno quiera escuchar lo que nos va a contar durante varios cientos de páginas.

la narración en tercera persona

El narrador en tercera persona es el que usa la voz con la que, de manera natural, contamos las anécdotas que le han sucedido a otras personas que no somos nosotros mismos. Esta voz narrativa no pertenece en realidad a un individuo. Imaginémonos más bien al narrador en tercera persona como a una criaturilla inteligente, pero carente de emociones, subida a hombros del personaje que está experimentando la historia. Esta criatura fantástica percibe los acontecimientos desde la perspectiva de dicho personaje y, de vez en cuando, incluso vislumbra pequeños destellos de lo que podría estar pensando o sintiendo.

Brent Farley entró en el comedor buscando a su madre.

En cambio, vio a Alice Norman de pie cerca del bufet.

Percatándose de su presencia, ella le sonrió antes de que le hubiera dado tiempo a escabullirse.

—Hola, Alice —dijo Brent, tendiéndole una mano.

Los dedos de Alice eran fríos. Tan fríos, según pudo percibir Brent, como su mirada.

Al igual que ocurre con la narración en primera persona, nos estamos adentrando en la historia a través de las experiencias de un individuo, pero en este caso no compartimos la misma intimidad con todos los matices de su carácter. Más bien estamos percibiendo su mundo a través del prisma de ese ojo inteligente aposentado sobre los hombros de Brent, una inteligencia carente de respuesta emocional. Es importante que el narrador en tercera persona guarde las distancias respecto a las pasiones de los personajes de la novela. Si empiezas a imbuirle una personalidad a esta voz narrativa, el resultado puede generar confusión en los lectores, dándoles la impresión de que se les está dictando el modo en el que deberían contemplar y sentir este mundo en vez de permitirles espiar el devenir de los acontecimientos desde detrás de un espejo trucado.

Un narrador en tercera persona comedido nos permite ver el mundo descrito en la novela desde cierta distancia imparcial. Lo cual otorga a la ficción una suerte de equilibrio que posibilita que el lector alcance con mayor facilidad la suspensión de la incredulidad.

En mi opinión, se trata de una voz más estable que la narración en primera persona, con su inquebrantable subjetividad. En este caso, la información va siendo revelada por un narrador contenido y ponderado, lo cual es bueno. En contrapartida, se trata de una voz mediante la que puede resultar más complicado sacar a relucir la profundidad emocional de tus personajes. Puedes ofrecer vislumbres momentáneos de la mente sobre cuyos hombros estás viajando, pero, por regla general, no puedes profundizar en su corazón.

Una ventaja de esta forma de narrar es que el observador desapasionado puede, en ocasiones, abandonar los hombros de un personaje para aposentarse sobre los de otro.

Supongamos que el encuentro entre Brent y Alice concluye de manera insatisfactoria y que terminamos ese capítulo o sección con Brent cavilando en silencio si Alice *wondering* habrá llegado a sospechar que está gestionando de manera deficiente sus negocios.

Sin embargo, con la primera frase del siguiente capítulo, descubrimos que nuestra entidad narradora se ha aupado a hombros de Alice mientras ésta pasea por la calle, cobijada por las largas y crecientes sombras de una serie de edificios que en otro tiempo fueron propiedad de su familia. Durante su paseo, se encuentra con una vieja amiga que le advierte de que tenga cuidado con Brent; se trata de un individuo de muy dudosa catadura que no se lo pensará dos veces si ve la menor oportunidad de arrebatarle el resto de su menguada fortuna.

aupar alzar levantar

—*Acabo de cruzarme con él* —*dijo Alice*—. *Parecía ansioso por perderme de vista cuanto antes. De hecho, cuando me he percatado de su presencia, me estaba observando y te juro que me ha dado la impresión de que estaba a punto de echar a correr.*

Nareen Padam entornó sus oscuros ojos y adoptó una expresión contemplativa, como si Alice le hubiera planteado una adivinanza. Luego dijo:.

—*Quizá le preocupase que hayas averiguado sus maquinaciones contra ti y tu familia. A lo mejor le ha dado miedo que fueras a montarle una escena.*

Después de este intercambio, tu narrador podría encaramarse a hombros de Nareen, pero personalmente no lo recomiendo. El narrador en tercera persona debería ser quisquilloso con las experiencias que decide escoger para ir desarrollando la historia.

Esta forma de narración puede hacer uso de los puntos de vista de uno, dos, tres o más personajes, pero tiene que existir un buen motivo para que decidas servirte de cada uno de ellos. Si tu trama está levantada en torno a un conflicto dual, deberías utilizar un punto de vista para cada uno de los oponentes. Si la novela cuenta la historia de una OPA hostil en un entramado empresarial, es posible que puedas necesitar hasta ocho o nueve voces para cubrir todas las sutilezas del relato.

También podrías utilizar un solo punto de vista para contar tu historia. Aunque te preguntarás: ¿para qué recurrir a una narración en tercera persona si sólo voy a usar una voz? ¿No sería mejor, en este caso, escribir la novela directamente en primera persona? No necesariamente; existen varios motivos válidos que podrían llevarte a optar por esta alternativa. Por ejemplo, podría suceder que tu personaje no tenga una conciencia muy desarrollada de sí mismo; que se trate de un tipo poco dado a la reflexión o incapaz de articular con precisión las cosas que presencia y siente. En el polo opuesto, también podría darse el caso de que tengas un protagonista particularmente expresivo o extravagante, circunstancia que podría plantear la necesidad de dejar la narración en manos de una voz más reservada, capaz de adoptar una ligera distancia.

La elección de una voz narrativa es un arte sutil. En tus manos queda decidir cuál de ellas es la más apropiada para contar tu historia. Aunque una cosa sí te voy a decir: es muy probable que la narración en tercera persona sea la más conveniente para desarrollar tu primera novela, esa que vas a escribir este año. Es la forma más flexible y duradera.

* * *

Hay un último aspecto que deberías tener en cuenta sobre esta voz: como ya he adelantado, el narrador en tercera persona posee *ciertos* conocimientos del personaje sobre cuyos hombros viaja. Por lo tanto, cuando Alice se encuentra con Nareen, la voz del narrador podría ser consciente del cariño que nuestra protagonista siente por esta joven e incluso aportar información específica adicional sobre su relación.

ran into

Alice casi se dio de bruces con Nareen al doblar la esquina de la calle Barton con la Tercera. Una oleada de afecto familiar le sobrevino nada más ver a su vieja amiga. No pudo evitar fijarse una vez más en que la joven de piel aceitunada apenas si conservaba en el rostro algunos leves rasgos de su madre sueca. Todo lo demás lo había heredado de su padre, sobre el que se rumoreaba que había sido abogado criminalista en Bombay antes de emigrar a Michigan, cuando su prometida escandinava se empeñó en comenzar una nueva vida en algún lugar situado a medio camino de sus respectivos países.

el narrador omnisciente

El narrador omnisciente constituye la voz más poderosa y difícil de todas. El narrador omnisciente lo sabe todo. Podría contarte la historia de Brent, de Alice y de Nareen. Pero, si se le antojase, también podría describirte lo que está ocurriendo en Cuba en ese preciso instante o transcribir el diálogo entre dos pulgas montadas a lomos de una rata en el tramo de alcantarillado que discurre bajo la calle en la que Nareen y Alice acaban de encontrarse. El narrador omnisciente no necesita adoptar el punto de vista de una persona ni la perspectiva desapasionada de una entidad encaramada a hombros de nadie; su mirada es el ojo de Dios, el ojo que todo lo ve.

Brent Farley entró en el comedor buscando a su madre. En cambio, vio a Alice Norman de pie cerca del bufet.

Alice se percató de que Brent parecía incómodo. «Casi se diría que quisiera salir huyendo», pensó.

«Me está mirando», se dijo Brent, pensando que el tono rojo del vestido que llevaba Alice había sido ideado para una mujer más joven.

Lawrence Smith-Jones, el maître del local, los miró a ambos y recordó cómo, cuando eran niños, solían correr atolondradamente junto al arroyo que discurría cerca del club, salpicándose los vaqueros con barro.

Se trata de una voz muy potente. Nada de lo que ocurra permanece fuera del alcance de su conocimiento. El narrador omnisciente puede curar el cáncer, explicar el verdadero sentido de la vida o viajar a través del tiempo y el espacio con insultante facilidad.

La perspectiva de ostentar semejante poder resulta muy tentadora, pero esconde peligros ocultos para el novelista primerizo. El principal problema es el lector: ¿de verdad te ves capaz de convencerlo de que realmente eres omnisciente? ¿Conseguirás que tu narración mantenga de manera constante la tensión entre tus personajes sin dejar de expresarte con claridad y desde un conocimiento superior?

Como lectores, cuando abordamos una novela lo hacemos con determinadas expectativas; una de ellas es que vamos a encontrar una historia que debería desplegarse siguiendo ciertas reglas básicas. No sabemos a dónde nos llevará la historia. Ignoramos si Brent es en realidad un villano que alberga la secreta intención de despojar a la familia de Alice de su fortuna.

En una narración en primera persona escrita desde el punto de vista de Brent, éste conocería sin lugar a dudas sus verdaderas intenciones, pero no tendría modo alguno de saber lo que opina realmente Alice ni mucho menos estaría al tanto de su conversación con Nareen.

El narrador en tercera persona, por su parte, carece de un conocimiento profundo de los personajes, lo que nos obligará a permanecer atentos a las interacciones dramáticas entre ellos para ir desentrañando la verdad.

Sin embargo, como bien indica su nombre, el narrador omnisciente lo sabe todo. Si no nos cuenta algo es porque ha decidido reservarse esa información. Si nos lo cuenta, se trata de una verdad absoluta, sin matices. En consecuencia, mediante el uso de la voz narrativa omnisciente, el autor corre el riesgo de aniquilar la tensión que está intentando crear.

* * *

Con esto no quiero decir ni mucho menos que uno jamás debería utilizar esta voz narrativa. Muchas, muchísimas novelas (particularmente las escritas en el siglo XIX y anteriores) se han servido de ella con magníficos resultados.

Una buena narración omnisciente puede emplearse de manera efectiva con el entendimiento de que incluso la voz de Dios puede tener ligeras variaciones y seguir determinadas reglas que van a dictar el modo en que decide revelar la información.

Por ejemplo: tu narrador omnisciente podría estar tan por encima de todo que ni siquiera se molesta en perder el tiempo preguntándose sobre la verdadera personalidad o las complejas motivaciones de los personajes que nos presenta.

El capitán Jack Hatter era un hombre de mar empeñado en conquistar el amor de una princesa. Reunió a una tripulación de rudos y voluntariosos lobos marinos dispuestos a seguir a un oficial joven y atractivo hasta los confines de la tierra… siempre y cuando hubiera botines susceptibles de ser saqueados por el camino.

La princesa Jasmine Alonza Trevor-MacFord era muy consciente de la pasión que le profesaba el capitán Hatter,

*pero nunca había dejado entrever que estuviera dispuesta
a ser partícipe de su lujuria. Cuando sus criadas mencio-
naban la promesa de Hatter de llevársela por la fuerza de
las tierras de su padre, Jasmine se limitaba a esbozar una
sonrisa enigmática y cambiaba de inmediato el tema de
conversación...*

Sirviéndose de este punto de vista, el narrador omnisciente *podría* contarnos muchísimos detalles sobre sus personajes, pero prefiere no hacerlo. La historia está descrita
con cierto distanciamiento con objeto de que el lector se
siga planteando interrogantes. ¿Conseguirá Jack conquistar
a la princesa? ¿Recibirá ésta de buen grado sus atenciones?

El ejemplo precedente no es sino uno entre los muchos
posibles enfoques a disposición del narrador omnisciente.
Esta voz se pasa la mayor parte del tiempo disfrazada de
narrador en tercera persona, pero se revela con toda su
fuerza lo bastante a menudo como para dejarnos claro que
tiene muchos más recursos a su disposición. El narrador
omnisciente también puede autolimitarse, optando por
revelar la información de manera que siga una secuencia
temporal definida o mediante el uso de personajes dados a
expresar de manera abierta sus sentimientos.

Hay muchas maneras de coartar al narrador omnisciente para conseguir que el desarrollo de la trama siga resul-
tando interesante y sorprendente para los lectores.

El problema es que esta voz de Dios tiene que aprender a limitarse con eficiencia, mientras que las narraciones en primera y tercera persona cuentan con unos límites ya preestablecidos.

últimas consideraciones
sobre la voz narrativa

Las narraciones en primera y tercera persona limitan de manera clara lo que los personajes de una novela pueden saber y expresar.

La narración en primera persona sólo puede transmitirnos lo que sabe el protagonista. El relato quedará constreñido por el rango de conocimientos y experiencias del narrador, por su situación vital y su grado de sofisticación, por su género y educación.

La narración en tercera persona cuenta con la ventaja de que puede servirse de distintos puntos de vista, pero sólo puede hacer uso de ellos alternativamente y, por otra parte, tiene la limitación de que su perspectiva desapasionada no le permite, la mayoría de las veces, profundizar en exceso en los procesos internos de los personajes.

Estas limitaciones podrían parecer dificultosas y excesivamente exigentes, pero personalmente pienso que son el mejor recurso para un novelista primerizo. Las restricciones que estas reglas imponen sobre la narración son severas, pero también nos resultan naturales desde el punto de vista narrativo. Al fin y al cabo, interpretamos nuestras vidas en primera y tercera persona.

Sabemos de primera mano lo que pensamos y sentimos. Pasamos por la vida comentando en silencio los acontecimientos que suceden a nuestro alrededor. A veces nos comunicamos con otras personas con total sinceridad; otras veces, no tanto. Como todo hijo de vecino, sentimos aprecio, desprecio y temor. El hecho de que todos y cada uno de nosotros experimentemos la vida primordialmente desde un punto de vista subjetivo implica que, si la narración en primera persona está plasmada de manera escrupulosa, el lector se identificará de manera natural con esa voz.

De manera similar, todos tenemos cierta experiencia con las narraciones en tercera persona. Tenemos empleos y compañeros de trabajo que no paran de hablar: de hablar entre sí o de hablar unos a espaldas de otros. Hemos visto a múltiples personas servirse de la expresión verbal para seducir, denunciar, jactarse, mentir. Con frecuencia somos testigos silenciosos de encuentros en el autobús, en la calle o incluso al otro lado de las finas paredes de nuestro apartamento. Todos sabemos lo que se siente siendo un observador silencioso, por lo que, cuando experimentamos una historia contada con el frío distanciamiento perfeccionado por un narrador en tercera persona, sentimos que vamos a ser capaces de entenderla… o por lo menos que tenemos una oportunidad de entenderla.

El narrador omnisciente tiene una perspectiva más amplia que aquella a la que estamos acostumbrados en nuestra vida diaria. Esta forma de narrar no tiene más límites que los autoimpuestos. Esto no significa que no puedas escribir una novela usando esta voz. El problema es que tienes que ser un narrador consumado, dotado de un extraordinario autocontrol, para contar una historia con ella y hacerlo bien.

* * *

Existen otras voces. Hay quien ha escrito novelas en primera persona del plural, narradas de principio a fin por un *nosotros* sin especificar. Otros autores apelan continuamente al lector en segunda persona del singular, como si *tú* fueras el protagonista. Pero se trata de enfoques idiosincráticos y complejos que añaden dificultades al hecho de narrar. Mi consejo es que, para escribir tu primera novela (este año) emplees una narración en tercera persona. Pero, por supuesto, acabarás haciendo lo que de verdad te pida el cuerpo.

mostrar y describir

«Las palabras brotan de la página». Esta frase es el mayor elogio posible para el escritor de ficción. Implica que, mientras estaba leyendo la novela, el lector o lectora ha sentido que estaba experimentando las sensaciones y emociones, la vida y la atmósfera descritas por el novelista.

El autor experimentado alcanza este nivel de realismo mediante el uso de un lenguaje activo y metafórico, parco desde el punto de vista emocional y, no obstante, también pedestre.

Antes que describirnos el funcionamiento interno de la mente de sus protagonistas o la *realidad* de una situación, el escritor de ficción nos mostrará, tan a menudo como le sea posible, acontecimientos y personajes activos, imágenes coloridas y diálogos genuinos.

Lance Piggott tenía la piel pálida y grasienta, y un gran rostro bulboso con dos puntos negros por ojos. Hablaba en ráfagas cortas, escupiendo las palabras como un arma semiautomática. El cuero hinchado de sus zapatos parecía a punto de reventar debido a la presión de sus enormes pezuñas. Todo él era una explosión a la espera de que alguien lo hiciese detonar.

Su secretaria, VernaMae Warren, se echaba hacia atrás para apartarse cada vez que lo veía acercarse a su mesa o se plantaba a su lado con un par de violentas zancadas para extraer carpetas del archivador metálico verde. La asustadiza secretaria temía acabar arrasada por la mera proximidad de su pantagruélico jefe.

La detallada descripción precedente es un modo de reemplazar esta sucinta declaración:

Lance Piggott era un hombre voluminoso y violento. Su secretaria, VernaMae Warren, le evitaba en la medida de lo posible.

A la hora de presentar los personajes, lugares, cosas y acontecimientos que van a poblar tu novela, el uso de imágenes y descripciones físicas te va a brindar con frecuencia un mejor resultado que el lenguaje meramente informativo. Decir que alguien es violento o que parece serlo es una generalidad demasiado indeterminada; el lector se verá obligado a interpretar el personaje de Piggott a partir de sus experiencias personales con la violencia. Sin embargo, describirlo como un hombre susceptible de explotar en cualquier momento ayuda a que el lector tenga una apreciación específica de dicho personaje.

El fuerte aroma a resina de pino y eucalipto produjo un leve escozor en las narinas de Mary. El bosque rebosaba bullicio vital. Los insectos chasqueaban y zumbaban; una criatura que debía de ser un pájaro lanzó un grito estrangulado, mientras otra bestezuela, oculta en algún lugar del denso bosque verde y gris, se alejaba masticando, lo que provocó que la joven se imaginase a un ogro mordisqueando el tronco de un árbol.

El sol le estaba quemando la piel. Mary experimentó una profunda satisfacción al sentir el penetrante escozor acompañado de los disonantes sonidos del bosque. Era como si ella misma, pensó, fuese un animal salvaje y libre en un Edén interminable.

Este intento por presentar la experiencia de tu protagonista en una zona boscosa funciona mejor que:

Los bosques castigados por el sol olían mal y estaban repletos de ruidos disonantes. Curiosamente, Mary se sintió allí como en casa.

Espero que estos ejemplos sirvan para ilustrar de algún modo la diferencia entre «mostrar» y «describir» a la hora de escribir ficción.

Decir simplemente que Lance Piggott es un hombre violento resulta menos convincente que pintarlo como una bomba de relojería que campa a sus anchas por la ciudad.

Por supuesto, un personaje violento —o que parece serlo— no tiene por qué tener rasgos o atributos físicos que describan su naturaleza. Tu personaje, llamémosla Fawn, podría ser menuda y de rostro apacible. En este caso, podrías servirte de las acciones que lleva a cabo cuando se encuentra a solas para anclar tu descripción. Podría ser proclive a torturar animalillos o a fantasear con atormentar y asesinar a una rival; podría decirle a una amiga, con dulzura pero respirando entrecortadamente, que le abriría la cabeza con un bate de béisbol como en algún momento se le ocurriese traicionarla.

Un personaje que habla también es una acción.

* * *

Sé que entre los lectores de este volumen habrá unos cuantos puntillosos prestos a señalar que cualquier cosa expresada mediante palabras está siendo descrita, no «mostrada». Después de todo, la descripción es una función del habla y la escritura no es sino una extensión del lenguaje hablado. Es cierto. Pero existe una diferencia entre explicar algo y la acción verbal.

Fijémonos por ejemplo en «Llamadme Ismael», la conocida primera frase de un clásico de la literatura estadounidense, *Moby Dick*. Comparémosla con «Se llamaba Ismael».

¿Cuál es la diferencia entre estos dos comienzos? Desde luego, tomado por sí solo, el primero tiene mucha más fuerza. Pero ¿por qué? En mi opinión, se debe a que la frase de Melville es activa; invita al lector a mantener una conversación con un personaje que, percibimos, nos va a acompañar durante un buen rato; un personaje que nos va a llevar de la mano por ese mundo que justo comienza a desplegarse ante nosotros.

«Se llamaba Ismael» es una afirmación simple que, por sí sola, no hace nada por engancharnos. Es meramente un dato, información.

El arranque original le está mostrando algo al lector; o, mejor dicho, *intenta implicar al lector entablando con él una relación personal*. En este caso, Ismael está conversando con nosotros. En el primer ejemplo protagonizado por Mary, nuestro personaje no se limita a olfatear el bosque, sino que la resina de pino y eucalipto le causa escozor en las fosas nasales. Esta es otra cosa que el lector puede imaginarse sintiendo en carne propia.

Así pues, supongo que la diferencia más clara entre describir y mostrar a la hora de escribir ficción es, en términos generales, la diferencia entre una declaración puramente informativa y una frase que intenta añadir un elemento humano a su repertorio, incluyendo en el proceso al lector, ya sea de manera emocional o física.

Hay muchas maneras de *mostrar* con el lenguaje. A continuación encontrarás unas cuantas.

sensaciones

Con frecuencia experimentamos la vida como una sucesión de sensaciones físicas. Se nos seca la lengua, se nos eriza el vello de la nuca, nuestros párpados se contraen en un tic. Determinadas personas sufren ataques de flatulencia cuando se sienten atemorizadas. Si tienes la posibilidad de incluir las reacciones físicas de tus personajes ante las situaciones emocionales que los atenazan, estarás acercando a los lectores a la experiencia de tu novela.

Incluso si la sensación descrita parece fuera de lugar, el lector querrá comprender por qué; querrá saber más. Por ejemplo, un agente de policía debe contener en acto de servicio a una mujer que intenta impedir que un compañero de patrulla arreste a su marido. Durante el forcejeo con la mujer, que no para de gritar y arañarle, el agente tiene una erección. También podrías decir que se ha sentido estimulado sexualmente, quizá decidas que esa es una mejor manera de expresarlo. Lo que está claro es que tus lectores se preguntarán qué diantres se le está pasando por la cabeza a ese policía.

emociones

Contemplando sus ojos de color avellana, se percató de la presencia de una mota que le recordó a aquella isla con la que soñaba de niño, ese lugar en el que siempre había anhelado encontrarse...

Una moñada, lo sé, pero es para que veas por dónde van los tiros.

Nuestras emociones moldean el modo en que respondemos ante los estímulos físicos del mundo que nos rodea, y el idioma —a su vez— refleja tales respuestas: verlo todo negro; su corazón dio un vuelco; temblaba como un flan; se me heló la sangre. Son frases hechas para expresar lo que sentimos con el cuerpo. Limitarse a decir «Te amo» (o «la amo» o «lo amo»), en vez de servirse de una expresión más colorida, simplemente carece de la garra necesaria para una obra de ficción. Has de seguir profundizando hasta llegar al lugar donde el personaje (y por lo tanto el lector) siente las emociones que impulsan tu novela.

Digamos que tu protagonista experimenta, en términos generales, el mundo como una colección de ruidos estridentes y filos cortantes. Se encoge cada vez que su jefe abre la boca; nota en los tobillos el roce del reborde de los zapatos al andar. Sin embargo, cuando sale a almorzar con Marianne, todo cuanto le rodea pasa de repente a ser suave y redondeado: el aire de la ciudad, que antes le quemaba los pulmones, le resulta ahora balsámico, sanador. Los pies han dejado de dolerle y la música que suena de fondo en el local le lleva a rememorar una bucólica escena de su infancia.

Explotar la fisicidad de las emociones o traducirlas a imágenes es un buen modo de sumergir con mayor profundidad a tu lector en la historia. Por supuesto, a lo largo de la novela tendrás que incluir también numerosas frases meramente informativas sobre los sentimientos y sensaciones de tus personajes, pero cada vez que uses un lenguaje llano y descriptivo para describir una emoción, una impresión o un momento de iluminación, deberías plantearte si quizá no deberías darle una vuelta.

* * *

lo pedestre en la ficción

Quizá tu protagonista se levanta de la cama y cruza el dormitorio para contemplarse en el espejo. Necesitas que sea consciente de las ojeras y las arrugas que marcan su rostro envejecido. Todo eso está muy bien. Pero para que podamos sentir lo que verdaderamente supone salir de esa cama, es posible que queramos añadir algunos detalles adicionales: el frufrú de las sábanas al caer al suelo hechas un gurruño; las ganas de orinar, que nuestra protagonista reprime para ver qué han hecho con su rostro el paso del tiempo y la vida; la suciedad bajo las plantas de sus pies descalzos al caminar; el dolor en la rodilla izquierda que la acompaña desde aquella ocasión, hace muchos años ya, en que se torció el tobillo al descender un peldaño de piedra durante el funeral de su madre, la madre a la que ahora tanto se parece. Cada uno de estos detalles nos describe y también nos muestra algo sobre nuestra protagonista y el mundo en el que habita.

La mayoría de estos detalles son pedestres. Así que quizás te preguntes: ¿por qué íbamos a querer darles a nuestros protagonistas experiencias tan vulgares y corrientes? Pues porque las experiencias cotidianas ayudan al lector a identificarse con el personaje, lo cual a su vez establece una base para aceptar otros acontecimientos más extraordinarios que quizás vayan a tener lugar en el desarrollo de la trama.

Si tus lectores dan por buenas las experiencias físicas y emocionales de tus personajes en sus momentos más cotidianos y rutinarios, creerán en la realidad de dichos personajes y podrás, por tanto, llevarles cada vez más lejos.

metáfora y símil

Lemon Turner era un león entre corderos. Cada vez que entraba en una estancia, hombres y mujeres se apartaban a su paso y se acurrucaban en grupo detrás de las mesas, lanzando miradas nerviosas hacia las salidas.

El ejemplo anterior usa una metáfora. Lemon Turner no es como un león; *es* un león. Las personas que lo rodean no *parecen* corderos, lo *son*. La mera presencia de Lemon convierte a los seres humanos en borregos que balan y salen huyendo.

La metáfora es la herramienta más poderosa de la que dispone el escritor a la hora de crear impresiones visuales en la mente del lector.

Haystack Olds era un muro de ladrillo, mientras que Mike Minter bien podría haber sido un hombre de paja. Uno tenía la impresión de que, con cada nuevo puñetazo asestado por Mike, éste se estaba haciendo más daño del que pudiera causarle a Haystack.

* * *

Tyne era una límpida galerna norteña empeñada en barrer los detritos del desordenado hogar de Charley.

La metáfora contribuye a ampliar el conocimiento del lector. Cuando, más adelante en la historia de Lemon, una joven se aproxime a él inclinando la cabeza de tal modo que parezca que le está ofreciendo el cuello, obtenemos un nivel añadido de tensión, porque conocemos la naturaleza leonina de Lemon. Cuando un niño travieso invada el espacio de Tyne, nos preguntaremos si también será barrido por la galerna o conseguirá mantenerse firme.

La metáfora indudablemente nos muestra algo; algo que vemos y, a la vez, imaginamos. Es imposible que Tyne parezca una galerna, pero su energía y las secuelas que deja a su paso nos recuerdan a una ventana abierta un día de vendaval. Es posible que Lemon no tenga una poblada melena, pero la imaginación del lector lo imbuirá con una voz fiera o un paso sigiloso.

Los seres humanos no son los únicos que se ven transformados por la metáfora; en el reino del escritor, cualquier cosa es susceptible de ser también otra.

El sol, por ejemplo, puede ser un tirano cruel que, enarbolando su látigo de fuego, obliga a tus personajes a seguir avanzando por la vasta planicie de tu novela.

Una vez que has sembrado una metáfora en la mente de tus lectores, seguirá acompañándolos durante numerosas páginas. Dará alas a su imaginación y te será de gran ayuda para narrar tu historia.

Ahora bien, sé precavido: no es una herramienta de cuyo uso convenga abusar. Un hombre de paja, otro de ladrillo, un león que anda suelto por el hogar de una mujer tempestuosa… todo esto junto podría llegar a ser demasiado. El exceso de lenguaje metafórico pondrá a prueba la credibilidad de tu novela. Por si eso fuera poco, hay que procurar mantenerse fiel a las metáforas escogidas. Si un hombre es un león, debe seguir siéndolo. No lo conviertas en un muro o en una galerna. A esto se le llama mezclar metáforas y es una manera segura de perder a los lectores.

* * *

A veces el autor necesita ilustrar un concepto para el cual una metáfora pura y dura podría resultar demasiado intensa. No pasa nada. Disponemos de otra herramienta para crear imágenes un poco más ligeras: el símil.

Su piel era como porcelana fina, blanca y de aspecto frágil, grabada aquí y allá con imágenes azules desdibujadas, tatuajes que la marcarían de por vida.

No nos da miedo tocar a esta mujer. Sabemos que su piel en realidad es humana, únicamente nos *recuerda* a la cerámica fina. Conservamos la imagen mental de la porcelana con vetas de cobalto, pero sabiendo en todo momento que, si el personaje tropezara y cayera al suelo, no se iba a romper en pedazos.

Existen todo tipo de símiles. Podrías decir que su piel era como porcelana, sus ojos como un cielo tormentoso y sus puños como piedras… o que la combinación de su presencia y sabiduría era como hallarse en un viejo robledal, digno y sombrío.

El símil pone menos a prueba nuestra credulidad que la metáfora; también crea una imagen más débil.

Por otra parte, el símil permite que el lector vea de manera más clara dos aspectos de un mismo sujeto: su estado normal y también la imagen con la que lo estamos comparando. A veces, esta suerte de visión doble encaja en los propósitos del novelista mejor que una metáfora dinámica.

* * *

Dependiendo de las exigencias de tu historia, puede que en tu novela (la que vas a escribir este año) te sirvas de metáforas o de símiles —o de ambos—. Y harás bien, pues ampliarán y redondearán la visión del lector de los lugares y personajes que le vas a presentar, y le mostrarán, sin necesidad de explicaciones inertes, cómo es su mundo y lo que se siente estando en él.

una última nota sobre mostrar y describir

Una cosa que siempre deberías recordar y tener en cuenta es que la novela es un medio más experiencial que informativo. Puede que tu lector aprenda cosas, pero la mayor parte de lo que aprenda será a través de lo que decidas mostrarle sobre las vidas y las circunstancias de los personajes que la pueblan.

personajes y desarrollo de los mismos

Todas las novelas, cuentos y obras de teatro, así como la mayoría de los poemas, tratan sobre la transformación del ser humano. Sus temas principales son nuestro espíritu y nuestra psique; el modo en que los personajes interactúan en sus relaciones con otros sujetos y con el mundo en general. Puede que en algunas historias el ser humano se vea reemplazado por una metáfora corporeizada, como por ejemplo un robot con alma o un lechón dotado de la capacidad de pensar y expresarse, pero estos simulacros no son sino otro modo de contemplarnos a nosotros mismos.

La novela tiene que materializar un movimiento en la estructura personal del personaje o personajes principales. Esto quiere decir que, en parte, el propósito de la historia es trazar un mapa con los acontecimientos vitales que van a causar un cambio en el protagonista. Este cambio y los acontecimientos derivados del mismo son el motivo por el que leemos y escribimos novelas.

Para ello, los personajes de nuestra historia han de ser completamente creíbles. Van a tener que ser capaces de soportar un escrutinio atento por parte de lectores, editores y críticos. Una de las cosas más importantes que vas a hacer este año será crear personajes complejos y genuinos que, partiendo de un punto determinado de su vida, avanzarán (o involucionarán) hacia otro.

A continuación voy a incluir como ejemplo el resumen de un arco dramático que servirá no sólo para elucidar lo que entiendo por desarrollo de personajes, sino también para presentarte otros aspectos de la escritura que ya estudiaremos con más detalle en un capítulo posterior del manual. Ten paciencia con esta historia y te prometo que tu tolerancia se verá recompensada.

Mientras viajan por un desierto del suroeste de Estados Unidos, Bob Millar y su familia son raptados por una pandilla de salvajes que apalean a Bob; violan y asesinan a su esposa Amy y a su hija, Leanne; degüellan a su hijo Aldo y dejan ciego a su benjamín, Lyle. Tras esta primera orgía de violencia, los atacantes, puestos hasta las cejas de alcohol y drogas, caen en un estupor. Bob, malherido y también medio ciego, coge a Lyle en brazos y echa a correr cuatro kilómetros por el desierto en plena noche.

Cuando se encuentra puede que a kilómetro y medio del campamento de los asesinos, oye el grito salvaje de su maníaco líder. Bob sigue corriendo, azuzado por los aullidos de sus perseguidores, hasta llegar a una carretera, donde un camión de mudanzas que pasaba por allí se detiene para auxiliarles.

Lo descrito en los párrafos anteriores es el acontecimiento central de la novela.

Puede que me apetezca empezar el libro con Bob corriendo a través del desierto, llevando en brazos a su hijo semiinconsciente, preguntando al borde de la incoherencia qué ha sido de su madre y sus hermanos. Mientras corre, Bob rememora obsesivamente el trayecto en coche hasta el desierto y la mezquina discusión que mantuvo con Amy durante el mismo. Por debajo de esta riña subyace una sospecha que Bob lleva mucho tiempo albergando en secreto; la sospecha de que, hace años, Amy y su amigo Alfred Jones tuvieron una aventura.

De este modo, puedo ir conociendo a Bob en el momento fundamental de su transición. Leemos el intercambio de pullas entre marido y mujer y acto seguido oímos esos aullidos que hielan la sangre en mitad de la oscuridad.

A lo mejor también averiguamos que al niño, Lyle, le encanta el chocolate.

Y ahí lo tenemos: Bob Millar, con su hijo ciego en brazos, huye de los despojos de su antigua vida hacia una nueva y terrible fase en la que tendrá que aprender muchas cosas: deberá perdonarse a sí mismo por haber sido incapaz de proteger a su familia; tendrá que ayudar a su hijo a lidiar con el dolor de la pérdida; y, de algún modo, se verá obligado a superar el terror en el que le han sumido los piratas de tierra que tantas vidas han diezmado.

Si abordamos de este modo el arranque del libro, estaremos afrontando muchos de los elementos básicos de la escritura de obras de ficción. Tenemos la historia, la trama, los personajes y la pregunta crucial que subyace en todo esto: ¿de qué va la novela?

Pero, ahora mismo, lo único que nos importa son los personajes y su desarrollo, y el único personaje sobre el que vamos a hablar en detalle es Bob y su redención... o su definitiva caída en desgracia.

Bob es un hombre débil en muchos aspectos. Sospecha que su esposa tuvo una aventura apasionada con su amigo e incluso que su hijo pequeño, el niño ciego que ahora lleva en brazos, podría ser fruto de esa infidelidad. Sin embargo, a pesar de sus sospechas, ha guardado silencio durante todos estos años, convirtiéndose en una persona rencorosa y mezquina, y permitiendo que su matrimonio degenerase en un amargo baile. Amy y él llevaban tiempo eludiéndose continuamente en una danza de resentimiento perpetuo.

Después de que el camionero lleve a los desventurados supervivientes de la masacre hasta una comisaría de policía, Bob sufre un colapso. Las autoridades avisan a los padres de Amy para que se hagan cargo de Lyle. Éstos intentan hablar con su yerno mientras yace convaleciente en el hospital, pero Bob únicamente los ve como figuras muy distantes. Nota los labios entumecidos y hay tirantez en su voz. Quiere que se marchen.

Cuando le comunican que ha perdido la visión en su ojo herido, no parece importarle. Cuando le comunican que su hijo va a ser criado por sus suegros, comenta: «De todos modos, probablemente no era mío».

El jefe de Bob envía a su secretaria, Ramona, para que le informe de que va a ser sustituido en su puesto, pero que recibirá una prestación por desempleo e invalidez.

La respuesta de Bob ante la pérdida de su trabajo es decirle a Ramona que, de todos modos, nadie le ha apreciado nunca en la oficina. Parece haber desarrollado una visión muy clara de sí mismo, un punto de vista casi objetivo que le permite saber cosas que antes era incapaz de comprender. Este conocimiento, no obstante, es estéril: no le impele a entrar en acción.

«Nadie ha llegado jamás a conocerme de verdad», afirma Bob. «Si se tratara de cualquier otro, quizá Brian [su jefe] habría encontrado un puesto adecuado para mí. Tampoco lo hubiera aceptado, pero...».

Sintiéndose incapaz de aligerar el estado de ánimo de Bob, Ramona promete regresar en otro momento. Bob se olvida de ella tan pronto como sale por la puerta.

Durante un rato, Bob pondera su existencia. Recuerda a sus hijos y a su esposa, los días que desperdició criticando a Amy. Estos recuerdos podrían quedar puntuados por los últimos momentos en la vida de cada uno de ellos.

Se acuerda de su madre (Bernadette) y de lo infeliz que fue ésta viviendo con su padrastro, Simon.

Bob no consigue encontrar el más mínimo solaz en los recuerdos de su vida anterior. Por lo que parece, siempre ha sido un individuo taciturno y amargado.

El doctor advierte a Bob de que su seguro no va a seguir cubriendo más días de estancia en el hospital. Mientras se viste para marcharse, la policía llega y le informa de que han detenido a los asesinos. Los agentes necesitan que les acompañe a comisaría para identificarlos. Bob lo intenta, pero en el momento en que los agentes retiran la cortina del cristal tras el cual aguardan los sospechosos colocados en fila, se desmaya...

Todo esto ha servido para que nos hagamos una imagen mental clara del carácter de Bob. Sabemos quién era antes de la salvaje agresión. También sabemos que el ataque lo ha dejado reducido a un despojo humano. A su vez, ante nosotros se abren distintos caminos posibles por los que podría transitar la novela a partir de este momento. ¿Reunirá Bob el valor necesario para enfrentarse a sus atacantes? ¿Perdonará a Amy? ¿Desarrollarán Ramona y él una relación más profunda? ¿Averiguará con total seguridad que Lyle no es hijo suyo, pero seguirá amándolo de todos modos?

¿Qué será de Bob? ¿Qué tipo de persona será la que emerja al final de la novela?

Estas dos últimas preguntas son difíciles de responder. Representan la estructura del personaje en el que va a convertirse Bob. No importa qué destino le depare el autor. Quizás Bob se hunda en un profundo malestar y muera sin redención. Quizá sea su hijo el que se revele como el héroe de la novela. Quizás Bob introduzca de extranjis una pistola en el juicio y dispare contra el (hasta ahora) anónimo psicópata que asesinó a su familia.

Quizás perdone a los asesinos.

Lo verdaderamente importante es que enganches a los lectores con el dilema de Bob (en este caso una crisis) y los familiarices íntimamente tanto con sus limitaciones como con las cuestiones que debe dirimir con objeto de superar los obstáculos que se le presentan en el camino. No tendremos novela a menos que Bob experimente una transición. Y no podrá darse una transición coherente y provechosa a menos que sintamos una conexión personal con Bob.

* * *

Esta afirmación no se limita ni mucho menos a Bob. Todos los personajes que nos vayas a ir presentando en la novela que vas a escribir este año deberían tener algún detalle singularmente humano en su caracterización: la camarera (que sólo aparece en una página del libro) con un descolorido cardenal encima del ojo izquierdo; el asesino que se arrepiente de sus actos; la esposa que, en los recuerdos de Bob, defiende con ferocidad su independencia y el valor de su vida.

Lyle, el único hijo que le queda a Bob, deberá aprender a lidiar no sólo con su ceguera, sino con el abandono de su padre. Ramona debería tener un motivo para querer ayudar a Bob. Lo cual significa que también ella tiene una historia que deberemos desvelar al menos en parte si queremos ser capaces de comprender su motivación.

* * *

La mayoría de las novelas siguen las peripecias de varios personajes distintos con diferentes grados de detalle. Cada una de estas personas ha de tener una naturaleza definida que estimule el interés del lector.

Un personaje está compuesto por numerosos atributos: el modo de hablar; su edad y educación; su pulcritud o falta de ella; su valor o su cobardía; su pasión por la vida, el sexo o la comida.

Como ya dije al respecto de las metáforas, no recomiendo otorgarles a tus personajes demasiados rasgos o tics. Deberías escoger más bien aquellos atributos, características o cualidades que te ayuden a definirlos, a hacerlos memorables y, hasta cierto punto, predecibles.

No obstante, además de revelar los rasgos superficiales que ayudarán a los lectores a conocer e identificar a los protagonistas de tu relato, debes asegurarte también de que tus personajes expresen esos sentimientos más profundos que nos van a permitir anticipar (con entusiasmo y temor) su transición.

* * *

Al igual que sucede en la vida real, tus personajes van a evolucionar principalmente a partir del trato entre unos y otros. La compleja y dinámica maraña de relaciones que vas a ir trazando durante el curso de la novela será la que origine la posibilidad del cambio.

Uno de nuestros principales métodos de aprendizaje es la interacción con otros seres humanos, pero eso no significa que lo que aprendamos vaya a ser necesariamente preciso, cierto o positivo: si únicamente nos fijásemos en el modo en que se comportaban nuestros padres, podríamos llegar a la conclusión de que las mujeres existen para servir al hombre o decidir que los extranjeros que viven al otro extremo de la calle son indignos de confianza, incapaces de amar.

Son los errores que cometemos en la vida los que nos hacen interesantes. Los errores que cometan tus personajes impulsarán, más que cualquier otra cosa, los aspectos más absorbentes de tu novela.

una última nota sobre el desarrollo de personajes

No todos los personajes tienen por qué afrontar una tensión dramática tan extrema como la experimentada por Bob Millar. Cualquier cambio en un personaje, por nimio que sea, puede convertirse en el eje central de una novela: el conflicto de una adolescente con su madrastra repercute en todos los miembros de la familia; un hombre que aprende a querer a una mascota comienza a vislumbrar un mundo cuya existencia nunca había sospechado; una adolescente decide dedicarse a la pintura a pesar de que sus padres están empeñados en que estudie Medicina, o eso cree ella.

Siempre hay conflicto en el desarrollo de personajes, pero dicho conflicto puede ser tan sencillo como una sutil diferencia de opinión.

De camino al trabajo, George decide seguir una ruta distinta a la habitual. Este desvío en su trayecto le descubre tres cosas: una pastelería, una tienda de magia y un anciano que vende libros usados en una esquina. Estos elementos resultan ser fundamentales para que George comience a comprender que ha estado desperdiciando su vida.

historia

Un hombre que ha perdido a su oca mágica recorre toda la comarca intentando encontrar a su adorada mascota.

Esta aventura lo conduce lejos de su hogar. En algún momento de la peripecia, nuestro protagonista llega a la conclusión de que, aunque siempre ha querido a su oca, la tenía muy desatendida. Cuando prácticamente se ha resignado a abandonar la búsqueda, dándola por imposible, encuentra a su oca durmiendo sobre un lecho de heno en el granero que se alza justo al lado de su casa.

Esto, en su forma básica, es una historia.

Una historia no tiene por qué ser elaborada, rebuscada o difícil de explicar. A menudo las tramas más elegantes son sencillas y directas: un anciano que está perdiendo la memoria debido a su edad avanzada se esfuerza por conservar sus recuerdos más preciados; chica conoce a chico, chica pierde a chico, chica se da cuenta de que acaba de quitarse un buen marrón de encima; un matrimonio escala una montaña con objeto de rendir homenaje a su hijo, que falleció solo y con valentía, y durante el viaje descubre que se han perdido el uno al otro.

Una historia es algo sencillo. Es una narración con un planteamiento, un nudo y un desenlace.

Un hombre, al que llamaremos Trip, le cuenta a su mujer, Marissa, que mientras estaba dando un paseo se ha encontrado con un viejo amigo que lo ha llevado medio a rastras hasta un bar y le ha invitado a un cóctel tan dulzón que no se notaba para nada que llevase un tercio

de ginebra. Cuando la policía ha irrumpido en el local,
Trip ni siquiera sospechaba que las chicas sentadas a su
mesa (las amigas de su amigo) eran menores de edad...

Las historias a menudo son un cúmulo de mentiras. Con mayor frecuencia, son verdades parciales.

¿Qué hace que una historia sea interesante? Un tema absorbente y el modo en que nos la cuentan. El compañero de trabajo que zanganea junto al dispensador de agua te enreda para que escuches sus anécdotas sirviéndose no sólo del poder de la historia, sino también de gestos y modulaciones en la voz. Puede recurrir a guiños, bramidos y sonrisas de complicidad mientras relata lo que su amigo Trip le contó a su señora después de que lo arrestasen en un bar frecuentado por prostitutas. El narrador consigue que te partas de risa, desgranando palabra por palabra las tribulaciones de Trip, tal como éste debió de explicárselas a su mujer. No obstante, el tono en la voz del narrador y su manera de gesticular te permiten adivinar una capa de significado completamente distinta en las excusas de Trip.

Como novelista, a menudo he deseado tener la capacidad de contarles mis historias en persona a todos y cada uno de mis lectores y críticos. «Ojalá pudiera explicarles exactamente lo que significa esta frase», pienso. Pero se trata de una imposibilidad. El narrador oral tiene las de ganar. Cuenta con todo un repertorio de recursos físicos inaccesibles para la letra impresa. Por eso, cuando escribo una historia, tengo que recrear los guiños y las sonrisitas, las insinuaciones y los estallidos emocionales, exclusivamente con palabras. Tengo que desplegar ante el lector un mundo tan íntimo y cercano como esas reuniones de media mañana junto al dispensador de agua.

Así pues, quizás opte por escribir una escena en la que Marissa, la esposa de Trip, acude a casa de su madre para pedirle prestado el dinero necesario para pagar la fianza de su marido. Será un pasaje más extenso, ideado para albergar en su interior la anécdota humorística de la gran aventura de Trip.

La madre de Marissa es una mujer de cuarenta años criada por una pareja de hippies que le pusieron de nombre Amor. Es arisca y desconfiada. Odia a Trip y piensa que su hija es idiota. Marissa ha dado por buena la explicación de Trip, ¿por qué no iba a hacerlo? Después de todo, Victor, el amigo que metió a Trip en líos, no le dijo a su marido que había quedado con aquellas chicas en el bar. Trip no tenía manera de saberlo…

* * *

La primera historia, la conversación entre Marissa y Amor, es nuestro dispensador de agua. Aquí es donde oímos por primera vez, al mismo tiempo que Amor, el dudoso relato con el que Trip se excusó ante su mujer. La escena también nos permite percibir la compleja relación entre Marissa y Amor. Podríamos ponernos de parte de una o de la otra.

Como introducción a la novela, esto aporta niveles de interés más profundos que una simple anécdota oral cotidiana. Nos estamos adentrando en una historia que va mucho más allá de la perfidia o inocencia de Trip.

Al final de esta primera escena o capítulo, Amor podría ayudar a Marissa o negarse a hacerlo. Trip podría acabar en el trullo (pongamos que es su tercer delito) o volver a casa.

Nos reímos con las astracanadas de Trip, pero nos sentimos mal por Marissa. ¿Por qué no se da cuenta de que este tipo no le conviene en lo más mínimo? ¿Por qué Amor es incapaz de percibir la belleza en el candoroso corazón de su hija? ¿Por qué se comporta Trip como un tarambana?

* * *

Una novela es, al mismo tiempo, una historia amplia y una acumulación de numerosas historias pequeñas, como la de la relación entre Amor y Marissa o las desventuras de Trip en el bar.

intuición frente a estructura

Llegados a este punto, debemos hacernos la pregunta: ¿cuál es la historia más amplia que vamos a contar? O, dicho en otras palabras: ¿de qué va la novela? Para algunos autores, los de la escuela intuitiva, ésta podría ser una pregunta muy difícil de responder en un primer momento.

Imaginemos que nuestra autora empezó a escribir el relato a partir de una anécdota que oyó en el trabajo sobre un individuo de catadura similar a la de Trip. A la hora de recrear la historia, se le ocurrió introducir a Marissa, una joven inspirada en Janey Fine, una antigua compañera de instituto. Amor, la madre, está basada en una tía carnal suya que vive en provincias. Este capítulo inicial sólo ha sido una manera de zambullirse en el proceso de escritura en busca de una historia mayor, al margen de cuál resulte ser ésta.

Para la escritora intuitiva no existe la necesidad de conocer de antemano el tema principal de *La noche que encarcelaron a Trip*. Partiendo de este primer capítulo, puede que tenga que emborronar cientos de páginas antes de que la historia se le acabe revelando en toda su amplitud.

* * *

Por otra parte, la escritora estructurada, aquella que desde antes de escribir la primera palabra ya sabe que lo que va a contar es la historia de aprendizaje —y en última instancia liberación— de Marissa, tendrá una manera muy distinta de enfocar el texto.

Para esta autora, la siguiente escena o capítulo servirá para seguir acercando a Marissa hacia un destino predeterminado. Pongamos, por ejemplo, que Marissa acude a la cárcel del condado para ver a Trip e informarle de que su madre se ha negado a pagarle la fianza. Amor quiere que Trip se pudra en la cárcel y que Marissa vuelva a vivir con ella.

Esta escritora estructurada conoce su historia de principio a fin. Si se nos ocurriera preguntarle si Marissa y Trip seguirán juntos cuando la novela llegue a su desenlace, nos dará una respuesta sin dudarlo, pues ya ha previsto de antemano cuáles van a ser todos los momentos clave en la historia de Marissa.

* * *

Ambos métodos, el intuitivo y el estructurado, son igualmente válidos. Tanto si empiezas a escribir conociendo toda la historia como si no sabes gran cosa más allá del capítulo inicial, acabarás teniendo una novela completa al final de tus desvelos.

El orden de los factores no altera el producto.

La escritora estructurada sabe desde el principio que la novela va a estar centrada en Marissa. Sabe que Trip, Amor y otros personajes similares representan las dos caras de una misma barrera que lleva tiempo impidiendo que Marissa florezca hasta convertirse en una persona plenamente realizada (al margen de lo que pueda significar eso). El acto de escribir se resume en hallar el modo adecuado de contar la historia. Después de todo, incluso un anecdotista experimentado debe describir los hechos de un modo que resulte entretenido para sus oyentes junto al dispensador de agua. Es posible que el narrador oral deba ensayar su anécdota una docena de veces ante otros tantos individuos antes de hallar el tono ideal.

La escritora intuitiva, por otra parte, ha de *descubrir* el tema de su historia a medida que va avanzando. Primero sigue a Marissa desde la casa estilo ranchero de Amor hasta la prisión del condado y después hasta el apartamento de Victor para realizar un recado que le ha encargado Trip. De este modo, la escritora se va acercando paulatinamente a su tema. Cuanto más escribe (y reescribe), más clara ve la historia.

Este método instintivo puede parecer una manera un tanto azarosa de escribir, pero eso no quiere decir que no sea menos ordenada. Aunque ir extrayendo conocimiento de la información acumulada en el pozo de tu inconsciente se nos antoje poco riguroso, debemos tener siempre presente que no hay líneas rectas en la caótica profundidad de nuestras mentes.

* * *

Tanto si tu enfoque es estructurado como intuitivo, vas a tener que descubrir la forma de tu novela. Como ya he mencionado anteriormente, la novela es una acumulación de varias historias que confluyen para relatar una mayor. Cada una de estas historias (por ejemplo, la aventura de Trip en el bar) tendrá un inicio, un nudo y un desenlace; también nos conducirá hasta el siguiente fragmento de la novela (en este caso, la visita de Marissa a su madre para solicitar su ayuda). La primera parte de esta novela imaginaria contiene dos historias que se desarrollan de manera simultánea: 1) lo que le sucedió a Trip; 2) Marissa pidiéndole dinero a su madre y contándole la historia de lo que le sucedió a Trip.

A partir de la práctica desarrollada escribiendo a diario, un autor intuitivo irá descubriendo estas historias a medida que las vaya plasmando sobre el papel. Es posible que, viendo los derroteros que vaya tomando la novela, dicho autor decida extraer la aventura de Trip de la conversación entre madre e hija; quizá opte por comenzar directamente con la visita de Marissa a la cárcel para contarle a Trip lo que ha dicho y hecho su madre.

Por su parte, es posible que el autor estructurado decida dividir toda la novela en breves sinopsis numeradas de cada una de las tramas, capítulos o secciones. Por ejemplo:

1) Marissa va a hablar con su madre tras enterarse de que su marido ha sido arrestado.

2) Marissa visita a Trip en la cárcel para decirle que no ha conseguido el dinero para la fianza. Él la engatusa para que saque el importe de la cuenta de ahorros en la que guarda su dinero para la universidad.

3) Marissa acude al banco y miente al encargado, que es un buen amigo de Amor. El encargado le da largas y promete tenerle preparado un cheque para la mañana siguiente.

4) Victor se presenta en casa de Marissa y le ofrece su ayuda, seduciéndola con promesas.

5) Tras haberse enterado por su amigo el encargado de que Marissa ha intentado retirar fondos de su cuenta bancaria, Amor decide ir a hablar con ella. Cuando llega allí, se encuentra a Victor vestido con el albornoz de Trip...

Esta escaleta, o bien habrá quedado claramente definida antes de que escribas la novela (enfoque estructurado), o bien acabará revelándose cuando la hayas terminado (escuela intuitiva).

* * *

La mayoría de los escritores no somos ni plenamente intuitivos ni plenamente estructurados. La mayoría usamos parte de ambos enfoques a la hora de escribir obras de ficción. Puede que sepamos cómo va a arrancar y a terminar nuestra historia en términos generales, pero eso es todo. O a lo mejor conocemos todos los giros de la trama, pero en el proceso de llevarlos al papel acabamos modificando momentos clave. No importa si cambias de método mientras estás escribiendo tu historia. Lo que importa es la novela, no la adscripción literaria del autor.

implicación

La función de la historia es implicar a los lectores para que se interesen por el destino de Marissa y al mismo tiempo simpaticen con el punto de vista de Amor. Cualquiera de nosotros podría tener una buena amiga que en otro tiempo salió con un tipo muy parecido a Trip. El modo en que el autor o autora describe la comunidad desértica en la que residen sus protagonistas nos revela la belleza y la ignorancia de la vida contemporánea en el Sudoeste semirrural de Estados Unidos, o por lo menos es lo bastante elocuente como para convencernos de dicha belleza e ignorancia.

Los lectores deseamos saber más sobre estos personajes y sus humorísticas y en ocasiones conmovedoras tribulaciones. Desde el momento en que Amor se fija en el esmalte rojo descascarillado en las uñas de Marissa, le dice «Píntatelas bien o no te las pintes», y Marissa responde «Sí, mamá» escondiendo las manos en los bolsillos de sus vaqueros, sabemos que estas personas tienen una historia en sus vidas.

El novelista ha de emplear todos sus recursos, agasajándonos con un uso del lenguaje, unos personajes y unas descripciones que piquen nuestro interés.

Y ahí precisamente es donde encontramos el gancho; el gancho del que te vas a servir para pescar a tus lectores, no el que emplean en el teatro para sacar del escenario a los malos actores.

Por extender un poco más la metáfora, una vez que hayas pescado al lector, tendrás que mantenerlo enganchado e ir recogiendo lentamente el sedal hasta terminar de subirlo a cubierta sin que se suelte. Es decir: vas a tener que mantener vivo durante toda la novela su interés por los personajes que ya ha conocido y por los que aún está por conocer. Tendrás que mostrarle más aspectos interesantes de esta comunidad y seguir incrementando su conexión emocional con Marissa, Trip y Amor.

trama

Para asegurarte de que tus lectores continúan leyendo, vas a tener que hacer que se pregunten —después de cada acción, capítulo o escena— qué es lo que va a ocurrir a continuación. ¿Dominará Amor el matrimonio de su hija? ¿Se dará cuenta Marissa de que Trip es un mentiroso? ¿Qué ocurrirá si Marissa acude en plena noche al apartamento de Victor? ¡Necesito saberlo! Me veo obligado a seguir girando páginas.

Por ese mismo motivo, jamás se te ocurriría presentar a un personaje como el de Victor de la siguiente manera: «el amigo de Trip que más tarde seducirá a Marissa cuando ésta acuda a su apartamento para pedirle prestado el dinero necesario para pagar la fianza de su marido», ¿verdad que no? Porque lo que quieres es que a tus lectores les preocupe el hecho de que este depredador sexual pueda estar tendiéndole una trampa a Marissa. Sin embargo, esa incertidumbre se desvanece en el momento en que les estás anticipando lo que va a ocurrir. Ya sabemos que Victor es un picaflor gracias a la anécdota de Trip sobre el bar y las prostitutas. También sabemos que Marissa es ingenua y nos asusta lo que Victor pudiera llegar a hacer.

Reservándonos información esencial, picamos la curiosidad de los lectores y los incitamos a seguir leyendo. Tal es la función de la trama.

La trama es la estructura de la revelación. Es decir: es el método y el ritmo de acuerdo a los cuales vas revelando detalles importantes de la historia de modo que el lector sepa lo justo como para seguir implicado al tiempo que desea averiguar más.

Retomando el ejemplo de Bob Millar, antes he mencionado que mientras huye de sus torturadores podríamos averiguar que a su hijo, Lyle, le encanta el chocolate. En ese primer momento, es posible que nos parezca un simple detallito, incluido para ampliar la caracterización del pobre chiquillo. Y, en parte, es cierto. No obstante, más adelante, Bob se da cuenta de que la ceguera ha sumido a su hijo en una profunda depresión y que nadie parece ser capaz de hacerle reaccionar. Bob se lleva a Lyle a casa, lo deja de pie en el centro de su antiguo dormitorio y le cuenta que ha escondido varias de sus chocolatinas favoritas en diversos rincones de la habitación. Si Lyle desea encontrarlas, tendrá que bajar completamente solo las escaleras hasta el dormitorio de Bob y Amy, preguntarle dónde las ha dejado y regresar a su cuarto para recogerlas. De este modo, Bob le da a su hijo un objetivo y fuerzas para comenzar a lidiar con su ceguera.

A su vez, esta obligación de interactuar con Lyle, saca a relucir algo nuevo en Bob. Al cabo de una temporada, llega a la conclusión de que su sentimiento de inferioridad le ha cegado con la misma eficacia con la que los pandilleros salvajes cegaron a Lyle, y que va a necesitar un método similar al que ha ideado para ayudar a su hijo si quiere ser capaz de plantar cara a los asesinos que destruyeron a su familia.

Este giro sería un buen ejemplo de cómo podemos ir mezclando distintos elementos de la escritura de ficción para construir nuestro relato. Para empezar, tenemos los rasgos de personalidad de Bob y Lyle, y sus respectivas respuestas ante el terrible punto de inflexión en sus vidas con el que dio comienzo la historia. Lyle se ha quedado ciego. Bob pierde la visión en un ojo y es incapaz de mirar siquiera a sus torturadores. Lyle quiere chocolate porque es una de las pocas cosas que le dan solaz. Bob quiere librarse de la amargura que siente ante la vida.

Más tarde, Bob se da cuenta de que ha abandonado a Lyle, al que había criado como a un hijo aunque genéticamente no lo sea, y se sirve de esta intimidad con el niño, concretada en las chocolatinas y la distribución de su antiguo hogar, para llegar hasta él. Esta acción permite que Bob se vea a sí mismo con mayor claridad. Y puede que incluso permita que Ramona advierta algo más profundo en el interior de este individuo taciturno y aparentemente amedrentado.

A partir de ese momento, Bob ha llegado por lo menos a un entendimiento sobre lo que debe hacer para afrontar sus desmayos en la cárcel y el juzgado. ¿Será capaz de reaccionar debidamente? Eso queda para más adelante.

* * *

Aquí empezamos a ver cómo los diversos elementos de la escritura de ficción confluyen en la trama. Hemos arrancado la historia con un acontecimiento espantoso que ha despertado el interés de los lectores. Hemos ido conociendo a los personajes principales a partir de sus respectivas respuestas ante dicho acontecimiento y mediante el modo de relacionarse entre ellos. Lo que hemos aprendido sobre estos personajes nos ha permitido a continuación comprender sus cuitas y su manera de afrontar sus heridas físicas y psicológicas.

La trama de tu novela estará marcada por cómo y en qué momento decidas ir revelando los rasgos de estos personajes y haciendo avanzar los elementos de su historia. Sin esta estructura, es posible que tu novela acabe siendo amorfa y poco interesante.

* * *

Hay otro componente importante de la trama que siempre deberías tener en cuenta: un potencial continuo para el elemento sorpresa. Primero les proporcionas a los lectores las diversas partes que conforman el relato por separado y a continuación las sumas de modo que el resultado total sea una información o un acontecimiento perfectamente lógico y a la vez completamente sorprendente.

El mejor modo de comprender este elemento sorpresa en potencia presente en la trama es analizar la estructura de la mayoría de los chistes. A la hora de contar un chiste, solemos empezar ofreciendo abundante información contextual, pero cuando llega el momento del remate esa información acaba reordenándose de modo inesperado. Por ejemplo:

Una mujer mayor y claramente menesterosa entra en un banco con una bolsa repleta de billetes con intención de abrir una cuenta. Cuando el atractivo y arrogante director de la sucursal le pregunta cómo ha obtenido semejante cantidad, la mujer responde: «Apostando».

Como se trata de una cifra bastante elevada, el director se muestra inmediatamente suspicaz. «¿De qué clase de apuestas estamos hablando?», pregunta.

La mujer se explica: «Pues verá, por poner un ejemplo, podría apostarme ahora mismo con usted cien mil dólares a que tiene los huevos cuadrados».

«¿En serio haría usted esa apuesta?», pregunta el director de la sucursal.

La anciana asiente.

«*¿Por cien mil dólares?*», insiste el director, desplazando la mano automáticamente hacia su bragueta.

«*Espere un momento*», le interrumpe la mujer. «*Cualquiera sabe que, para que una apuesta sea válida, hace falta un testigo*».

«*Ahora mismo llamo a mi secretaria*», dice el director.

«*No, no, no*», replica la anciana. «*Al fin y al cabo, trabaja para usted. Lo que vamos a necesitar es el testimonio de una persona completamente irreprochable. ¿Conoce usted al notario que tiene su despacho ahí enfrente? ¿El señor Morton?*».

«*Sí, por supuesto*», responde el director. «*Frank Morton es el jurista más respetado de esta ciudad*».

La anciana sonríe y le pide al director que telefonee a Morton y le solicite que se presente en su despacho al día siguiente a las nueve.

* * *

A la mañana siguiente, una vez reunidos los tres en el despacho del director de la sucursal, la anciana dice:

«*Está bien. Veamos qué tiene ahí abajo*».

El director se quita los pantalones, se baja de un tirón los calzoncillos y sonríe.

«*Ya puede ir aflojando la mosca*», dice.

«*Oh*», exclama la mujer, ligeramente contrariada. «*Pues sí. Parecen ser… redondos*».

«*¡Ya lo creo que sí!*», confirma el banquero.

«Permita que los toque para asegurarme de que son de verdad. Sólo quiero agarrarlos un momento».

Por un momento, el director de la sucursal se muestra reacio, pero luego piensa en la cantidad de dinero que está a punto de embolsarse y se deja de remilgos. Asiente con la cabeza y la mujer se acerca a él, agarra con delicadeza sus partes pudendas y las acaricia ligeramente.

En el momento en que su mano envuelve los testículos del banquero, el notario se desmaya.

«Ciertamente no son cuadrados», constata la mujer. «Supongo que voy a tener que pagarle».

«¿Y a éste qué le pasa?», pregunta el director del banco.

«Oh», responde la anciana. «Es que ayer me aposté con él doscientos mil dólares a que el director del banco permitiría de buen grado que una vieja como yo le acariciase los huevos».

Este chiste emplea una especie de juego de manos para distraer la atención del público. Mientras desvía nuestro interés hacia el elemento sexual del relato, en paralelo está ocurriendo algo más. Disponemos de toda la información necesaria para adivinar el remate, pero, gracias a este subterfugio, la mayoría no llegamos a anticiparlo.

Con frecuencia, en muchas novelas, la trama reproduce este mismo mecanismo. Nos dejamos deslumbrar por las luces y los fuegos de artificio mientras la verdadera historia se va desplegando delante de nuestras mismas narices. Cuando al fin descubrimos la realidad de la situación, nos sentimos a la vez sorprendidos y encantados; siempre y cuando, claro está, el método de revelarla parezca natural en vez de forzado. Si los lectores consideran que han sido engañados, la estructura de la trama se volverá en contra del autor o autora y el público dejará el libro con un sentimiento de insatisfacción.

últimas reflexiones
sobre trama e historia

Me alegra mucho haber superado ya el trance de tener que escribir sobre la historia y la trama, los componentes más abstractos y complejos de la escritura de ficción. Ambos elementos están tan interrelacionados que resulta muy difícil separarlos. E incluso ahora, mientras repaso lo que he escrito, me pregunto si habré ahondado lo suficiente.

Así pues, permite que termine con una imagen que quizás podría aportarte una perspectiva adicional sobre estos dos conceptos permanentemente imbricados.

Si personificamos la novela convirtiéndola en un ser humano llamado, por ejemplo, Marissa Nouvelle, creo que podremos ver la compleja interrelación que existe entre historia y trama.

La historia es toda la persona en su conjunto: la señorita Nouvelle de la cabeza a los pies; su voz y su sonrisa, su confusión y su brillantez, sus ojos de color avellana y sus zapatos rojos. Cada paso y acción emprendida por Marissa es lo que vemos a medida que se va desplegando la narración. Sin embargo, por debajo de la piel, está el esqueleto que le otorga la capacidad de moverse. Este sistema oculto, sumado a muchos otros (incluido el de sus impulsos inconscientes), es lo que da forma y propósito a Marissa. De la misma manera, la trama es invisible para nosotros y para los personajes que pueblan la novela, pero es lo que hace avanzar la historia —o la *nouvelle*— que estamos disfrutando.

* * *

Conviene recordar asimismo que en cada novela hay más de una historia y más de una trama. Contaremos al menos con tantas historias como personajes principales tengamos y cada una de esas historias contendrá a su vez varias tramas que la mantendrán en movimiento: sangre y hueso, nervio y tejido, deseos olvidados y acontecimientos ignorados.

los usos de la poesía en la escritura de ficción

La poesía es la fuente de la que mana toda la escritura. Sin un conocimiento profundo de la poesía y sus intríngulis, cualquier talento del que el autor pudiera hacer gala se verá enormemente disminuido.

Es una verdad que considero evidente.

En cualquier caso, voy a intentar explicarme.

De todas las disciplinas literarias, la poesía es la más exigente. Tienes que aprender a destilar lo que pretendes decir mediante el lenguaje más económico y al mismo tiempo elegante y preciso posible. Cuando uno escribe poemas, debe emplear el lenguaje como música además de como una manera de transmitir información. Un poeta ha de ser maestro del símil, la metáfora y la forma, así como del uso preciso de la gramática y la lengua vernácula, las implicaciones y la insinuación. Ha de ser capaz de crear símbolos que resulten discretos y al mismo tiempo innegables. El poeta, por encima de todos los demás escritores, ha de aprender a eliminar cualquier elemento superfluo, heredado, repetitivo o engañoso. Un poeta debe preguntarse: «¿Por qué he utilizado esta palabra en concreto y de qué modo afectará su uso al significado del poema cuando vuelva a repetirla en otro verso posterior? ¿Debería sustituirla por un sinónimo?».

El poeta busca la perfección en cada verso y cada estrofa; impecabilidad en la forma.

Sólo con que el autor de ficción se exigiese a sí mismo la mitad de lo que se exige el poeta ya estaría escribiendo una novela de prosa exquisita.

* * *

Cuando estudiaba escritura creativa en el City College de Nueva York (CCNY), en Harlem, me matriculé en un taller de poesía cada semestre. De un total de seis semestres, estudié cinco con el gran poeta estadounidense William Matthews, ya fallecido. No recuerdo haberme perdido ni una sola de las clases de Bill, pero a día de hoy sigo siendo incapaz de escribir un poema pasable.

No soy poeta. Mis sensibilidades no apuntan en esa dirección. Pero, durante aquellos tres años, Bill me enseñó a apreciar las sutilezas del lenguaje de un modo que ningún curso de escritura de ficción podría haberme revelado. Hablaba sobre rima, aliteración, asonancia, repetición, métrica, la música del lenguaje y la necesidad de reescribir una y otra vez hasta que ninguna palabra esté fuera de lugar.

Bill y mis compañeros de curso me enseñaron lo muy profundamente que podía llegar a sumergirse uno en el tema más arcano usando apenas un centenar de palabras, puede que incluso menos.

* * *

Si tienes tiempo, te sugeriría que empezases a leer poesía. Si te surge la oportunidad de apuntarte a un taller o cursillo de poesía, aprovéchala. No tiene por qué dársete bien. Tus poemas pueden ser terribles, pero aprenderás a distinguir y a utilizar toda una serie de herramientas que te serán de gran utilidad a la hora de escribir esa novela que tienes pensado terminar este año.

3

Por dónde empezar

enhorabuena

Ahora ya dispones de toda la información necesaria para escribir el primer borrador de tu novela. Puede que tengas que releer las páginas precedentes un par de veces. Quizá sientas la necesidad de salir a correr un rato o de pedir cita en el «fisio» para que te dé un masaje (lo que sea que suelas hacer para relajarte), pero estás preparado.

Pasemos, por tanto, al proceso de plasmar tu historia en palabras.

primeras palabras

Probablemente el mayor obstáculo para el novelista novato (y para muchos veteranos consagrados) es poner por escrito el primer puñado de palabras. Empezar una novela es un momento emotivo para la mayoría de nosotros.

Los autores se sirven de toda clase de triquiñuelas con objeto de engatusarse a sí mismos para comenzar a escribir. Algunos tienen una pluma favorita o un escritorio situado frente a una ventana con vistas a un paisaje que les estimula. Otros escuchan una pieza de música en concreto, encienden una vela, queman incienso o ponen en práctica cualquier otro rito que les ayude a sentirse optimistas y fortalecidos.

Si descubres que también en tu caso resulta que necesitas llevar a cabo algo parecido para ponerte a escribir... en fin, está bien. Personalmente, los ritos me aterran. Me preocupa acabar dependiendo de una pluma favorita, un escritorio o un aroma concreto para arrancar, pues ¿qué pasará entonces cuando pierda dicha pluma o me encuentre de vacaciones o en viaje de negocios y frente a la ventana de mi cuarto de hotel sólo haya un contenedor repleto de basura?

Mi único rito para escribir es hacerlo todas las mañanas. Me despierto y me pongo manos a la obra. Si por algún motivo me encuentro en un motel de Mobile, Alabama, que así sea. Si me he pasado la noche en vela y me despierto a las dos de la tarde, no importa: para mí sigue siendo la primera hora del día.

Lo único que importa es que escribas, escribas y escribas. No hace falta que sea una prosa brillante. De hecho, prácticamente todos los primeros borradores son bastante malos. Lo que importa es que consignes las palabras a la página o a la pantalla. O que las registres en la grabadora, si es que ése es tu método de trabajo escogido.

La primera frase será tu taco de salida; echa a correr y no te tropieces con él.

* * *

Si eres de la escuela intuitiva, limítate a tomar asiento y empieza a escribir tu novela:

Lamont a duras penas había conseguido reunir el dinero justo para comprar cuarto litro de whisky en Bobo's Liquor Emporium, pero sabía que con eso no le iba a bastar. Ragman había muerto y su duelo iba a requerir al menos medio litro.

¿Qué significa todo esto? ¿Cómo quieres que lo sepa? Son las primeras palabras que me han venido a la cabeza, de manera automática. No me voy a preocupar por ello; simplemente seguiré escribiendo hasta ver si algo empieza a cuajar o hasta que me quede sin fuelle. Si me parece que el trabajo realizado no me está conduciendo a ninguna parte, volveré a empezar de cero con una nueva primera frase. Seguiré repitiendo el proceso hasta encontrar algo que estimule mi imaginación y me sugiera suficientes elementos como para continuar la historia.

A la mañana siguiente, leeré lo escrito la jornada anterior, realizando única y exclusivamente un par de cambios superficiales antes de seguir adelante. Es lo único que debes hacer. Sentarte un rato todos los días con tu novela y ponerte a trabajar dejando a un lado tu sentido crítico, las expectativas amedrentadoras y la necesidad de revisar todas y cada una de tus palabras como si ya estuvieran impresas y encuadernadas.

El comienzo no es más que un borrador. Y los borradores son, por definición, imperfectos.

* * *

Si eres un autor más bien estructurado, puede que antes sientas la necesidad de desarrollar por escrito un esquema de tu novela. Aunque ya conoces la historia, vas a tener que dividirla en escenas y en capítulos.

Al igual que el autor intuitivo, deberás sentarte a diario a escribir lo que crees que estás contando. A medida que vayas avanzando, irás descubriendo nuevos personajes y añadirás pequeñas semblanzas para describirlos; irás tomando notas sobre las sensaciones que vas a querer transmitir aquí y allá. Crearás toda la novela a partir de resúmenes y frases entrecortadas, algún que otro párrafo completo y puede que incluso organigramas.

Por último, llegará el día en que termines tu escaleta o argumento detallado. La historia ha quedado establecida, al menos teóricamente, y ahora deberás seguir el mismo camino emprendido por el autor intuitivo. Tendrás que sentarte con la escaleta más o menos a mano y ponerte a escribir prosa. Empezarás por la primera frase y seguirás adelante. Quizá te mantengas fiel al plan trazado de antemano; quizá te adentres por desvíos que acabarán llevándote lejos de tus ideas iniciales.

Sea cual sea el caso, el trabajo será idéntico. Algunos días serán duros, insoportables; otros serán sublimes. No prestes la menor atención a estos sentimientos. Únicamente debes de estar pendiente de seguir escribiendo la novela que vas a terminar este año. Triste o alegre, la historia ha de aflorar a la superficie.

Aférrate a tu rutina. Procura escribir un mínimo de páginas al día; pongamos que entre 600 y 1.200 palabras. No te rompas la cabeza dándole vueltas a lo que ya hayas escrito previamente. Repasa de la manera más somera el trabajo realizado la jornada anterior con el único propósito de orientarte y recuperar el impulso; después de eso, sigue escribiendo. Si en algún momento sientes que estás perdiendo el hilo de tu historia, dedica un par de días a releer todo lo que llevas escrito, no con intención de reescribirlo (aunque algunas correcciones siempre resultan inevitables), sino para volver a familiarizarte con el grueso de la obra.

Siguiendo este método, deberías tener un primer borrador de tu novela en unos tres meses. Será impublicable. Será terrible. Probablemente no tenga demasiado lógica. Sin embargo, nada de todo eso importa. Lo que tendrás delante será el corazón de la novela que deseas escribir.

No hay un momento más importante en la vida del verdadero escritor.

Tu primer borrador es como un campo fértil para el labriego; has terminado de sembrar las semillas, pero la verdadera tarea todavía está por delante.

el largo viaje

El arranque de la novela es complicado, pero en realidad se trata sólo de engarzar unas cuantas frases para emprender el camino. El desenlace también es difícil, pues tendrá que encajar con todo lo acontecido anteriormente y además darle sentido. En la fase de reescritura, es posible que acabes dedicando varias semanas a darle vueltas a la manera más satisfactoria de terminar el relato hasta que la encuentres.

No obstante, aun teniendo todo eso en cuenta, lo que más difícil te va a resultar va a ser completar la parte intermedia de tu novela, esa gran extensión en blanco que deberás rellenar con tu narración. ¿Cómo voy a ser capaz —te preguntarás una y otra vez— de mantener viva la historia durante varios cientos de páginas?

Aquí lo importante es recordar en todo momento que una novela es única y múltiple. Tu relato tiene un arco principal que debes culminar con éxito, pero también tienes a tu disposición numerosas narraciones menores —los pilares del puente— que van a confluir para crear esa historia mayor.

Por ejemplo, en el caso de Bob, Ramona y Lyle, tenemos numerosos huecos pendientes de rellenar antes de poder alcanzar una conclusión satisfactoria. Ramona tendrá que acabar llegando a un entendimiento (a través del conflicto) con Bob y Lyle; lo mismo podemos decir sobre la relación entre Lyle y su padre. También tendremos que abordar los puntos de vista de la policía, los criminales, el sistema judicial y los suegros de Bob. Deberemos examinar cada personaje y elemento implicado en las circunstancias de la tragedia para poder llegar a comprender y sentir su evolución, especialmente la de Bob.

Si no pierdes esto de vista, descubrirás que en ciertos aspectos la novela se escribe sola. Conoces a los personajes; conoces las circunstancias. De lo que tienes que asegurarte ahora es de transmitirles a tus lectores todos los factores que componen el relato.

Te encontrarás encerrado en una celda con más de un asesino. Te encontrarás rememorando junto a Bob y Lyle anécdotas relativas a sus familiares asesinados. Experimentarás la exasperación de los agentes de policía ante la aparente cobardía de Bob. Acabarás entendiendo la existencia sin amor de Bob y podrás ver también el modo en que, aunque de manera muy distinta, Ramona siempre ha buscado el amor.

Con cada una de estas subtramas, otro aspecto de la historia principal quedará revelado. ¿Es una novela que habla del perdón o de la venganza, sobre una muerte lenta o sobre un renacimiento?

La parte central de la novela puede ser traicionera y difícil de navegar, pero cuentas con una buena brújula que es el arranque de la historia; es decir, la presentación de los personajes y la exposición de su conflicto. La manera en que dicho conflicto progresa hasta alcanzar su resolución va a ser el contenido de tu relato. Para tejerlo, tendrás que imbricar numerosos hilos; serán los que conformen tu novela.

documentación

Habrá momentos en que te apetezca demorarte en ciertos detalles. ¿Cuándo emigran al sur los gansos de Georgia, en abril o en junio? ¿Es físicamente posible que Bob Millar oiga los aullidos del líder de la secta a kilómetro y medio de distancia aun estando en el desierto? ¿De verdad arrestaría a Trip la policía cuando el verdadero responsable de haber atendido y servido a las menores de edad es el propietario del bar?

Son preguntas válidas todas ellas. Antes de que la novela entre en imprenta, deberías obtener las respuestas. Sin embargo, muchos autores se sirven de este tipo de preguntas como excusa para procrastinar. Se convencen a sí mismos de que no van a poder continuar hasta el momento en que hayan encontrado las respuestas.

Tonterías. Pon un signo de interrogación en rojo al lado de la afirmación que te ha generado dudas y ya volverás a ella más tarde.

Yo casi siempre dejo la documentación de mis libros para el último borrador. Llegado ese momento, sé que la novela está escrita y que mis energías creativas no se van a ver mermadas por distracciones innecesarias.

* * *

También debo reconocer que no soy el mejor ejemplo en lo que a documentarse se refiere. No es uno de mis puntos fuertes. Escribo novelas sobre lugares con los que estoy familiarizado y personas a las que me gustaría creer que entiendo.

He conocido a autores que han dedicado años a peinar bibliotecas y a viajar al extranjero para documentarse debidamente sobre los temas que deseaban tratar en sus novelas. No tengo nada que decir al respecto. Si realmente sientes la necesidad de viajar a Sudáfrica durante un mes (o cinco años) para captar la esencia de tu novela, hazlo. Cuando regreses y estés preparado para ponerte a escribir, mi pequeño manual seguirá ahí, esperándote. En ese momento, podrás tomarte el año que vas a necesitar para escribir tu novela.

4

Reescribiendo
o editando

el primer borrador

Este capítulo marca la línea divisoria entre la novela en potencia y la obra literaria. Has dedicado tres meses o más a encadenar palabras. Has aposentado el trasero en la silla durante como poco hora y media cada día, y has volcado tu novela sobre el papel. Ahora que has llegado al desenlace, por fin estás preparado para *escribirla*.

Las páginas que tienes ordenadamente apiladas delante de ti componen eso a lo que habitualmente nos referimos como el primer borrador. Probablemente no sea muy bueno, pero es de esperar. Sin un primer borrador, nunca existiría una novela, de modo que éste se trata, sin lugar a dudas, del logro más importante de un escritor.

el segundo borrador

Ahora lee tu libro desde la primera página hasta la última. Si sientes la necesidad de añadir notas, corregir fallos de ortografía, incorporar diálogos, retocar frases… por supuesto, adelante. No importa lo que hagas siempre y cuando leas la novela de cabo a rabo.

Este ejercicio es sumamente importante para el novelista. Es un momento para descubrir. Creerás saber lo que has escrito, pero a lo largo de todo el texto vas a encontrar frases, palabras, metáforas, nociones e incluso temas que te van a obligar a plantearte si no merecería la pena desarrollar ciertos pasajes, tramas o personajes. Vas a encontrar errores que de repente parecen cobrar sentido. Vas a encontrar ideas que en otro tiempo te parecieron profundas y ahora te resultan ñoñas o manidas.

El motivo por el que vas a encontrar tantas cosas nuevas en el borrador que acabas de escribir es que en realidad ha habido dos personas trabajando en tu novela. La primera has sido tú: el autor o autora que se ha sentado todas las mañanas a la mesa con una taza de café mientras los pájaros canturreaban al otro lado de la ventana. *Tú* has escrito esta novela, de la primera a la última palabra. Y, aun así, encuentras en ella sorpresas y destellos de ideas parcialmente olvidadas, puede que incluso conceptos que resultan completamente nuevos para ti, como si alguien más te los estuviera sugiriendo.

Ese «alguien» es tu yo interior, un ser de sombras que ha emergido de manera parcial a la conciencia, convocado por el ejercicio diario de la escritura; un ejercicio que, en el momento en que lo practicamos sin restricción, sirve para dragar nuestro inconsciente. Puede que este otro lado de tu conciencia haya traído consigo vestigios de reflexiones, ideas y sentimientos largo tiempo olvidados. Estos tesoros habrán quedado diseminados entre las páginas del borrador que justo acabas de terminar.

* * *

Cuando hayas terminado de leer, habrás terminado el segundo borrador de tu novela. Sí: el simple acto de leer funciona como un segundo borrador. Ahora sí que tienes una conciencia clara de lo que has creado. El libro ha pasado a ser, simultáneamente, algo más de lo que esperabas y algo menos de lo que pretendías. Habrás detectado numerosos problemas en la estructura, en el uso del lenguaje y en el desarrollo de tus personajes. Bien. Probablemente estás empezando a ver que han aflorado otras ideas que deberías explorar más a fondo. Mejor aún.

¿Cuánto tiempo debería ocuparte esta lectura? No lo sé con precisión. Leerás tu borrador con más rapidez de la que emplearías en leer una obra completamente nueva para ti, pero aun así va a requerir algún tiempo. Démosle una semana. Tu horario de trabajo deberá mantenerse inalterable. Recuerda que deberías escribir *todos los días*, de lunes a domingo. Si terminas el primer borrador un martes, te aconsejo que inicies el segundo borrador (que es la lectura del primero) el miércoles. Y, ya que abordamos el tema, la escritura no permite vacaciones. Si por lo que sea este verano tienes programado un viaje a las Bermudas, trabaja en tu novela todas las mañanas en vez de leer el libro de otro autor en la playa. Si tienes dolor de muelas, pon a tu protagonista en el sillón del dentista. Si te enamoras mientras estás escribiendo, convierte ese sentimiento en un aspecto de un personaje de tu libro. No pares de escribir bajo ningún concepto. No pares de escribir. No pares... ¡No lo hagas!

* * *

Has invertido unas doce semanas en escribir el primer borrador y ahora otra semana más para descubrir la obra en conjunto e incluso a su autor. Trece semanas. Exactamente una cuarta parte del año.

El tiempo vuela.

los muchos borradores siguientes

Ahora empieza el trabajo duro. Ahora es cuando tienes que ir repasando toda tu novela idea por idea, personaje por personaje, capítulo por capítulo, párrafo por párrafo, frase por frase y, en última instancia, incluso palabra por palabra, sometiendo cada una de ellas a numerosos filtros de análisis y crítica.

Durante las primeras revisiones, deberás afrontar los problemas que detectaste durante esa importantísima primera lectura de la novela. ¿Es absorbente la historia? ¿Tiene sentido lo que ocurre? ¿Has establecido un patrón de revelaciones (la trama) que contribuya a que la historia avance? ¿Experimentan el personaje o personajes principales algún cambio discernible? ¿Y cómo afectan al modo en que ahora percibes la historia las nuevas ideas que han surgido o han cobrado relevancia durante el segundo borrador?

Da igual cómo hayas escrito el primer borrador (a máquina, con el ordenador o garrapateado con un lápiz), pero a partir de este momento vas a necesitar una versión impresa de la novela (preferiblemente a doble espacio), un lápiz y una goma de borrar. Vas a necesitar hojas en blanco para tomar notas, elaborar listas, trazar esquemas e incluso redactar añadidos. Vas a tener que seguir dedicándole el mismo tiempo todos los días y esta vez en el más absoluto de los silencios, pues este es el momento en que vas a convertirte en Sísifo, empujando colina arriba un peso inaguantable. Cualquier distracción podría ocasionar un tropezón y la pérdida de control.

* * *

¿Cómo deberías planificar esta etapa? ¿Qué debes hacer para reescribir el manuscrito que tienes justo delante hasta convertirlo en una novela acabada?

Hay distintas maneras de abordar esta labor, pero existe una que todos los autores tenemos en común: lo primero es decidir si merece la pena invertir los próximos nueve meses de tu vida en esa pila de folios.

No te estoy preguntando si la novela está bien escrita, si está bien armada o si su lectura resulta agradable o incluso comprensible en mayor medida. Lo que tienes que decidir es si tu novela tiene *alma* o carece de ella. ¿De verdad hay por debajo de todo ese lenguaje atropellado una historia que merece la pena contar?

Puede que para responder con total sinceridad necesites darle una segunda lectura. Incluso una tercera. Podríamos considerar cada una de ellas un nuevo borrador. Corrige si tienes que corregir, pero no te obsesiones si ves frases que te parecen poco elegantes o contradicciones en el ritmo; toma nota y déjalas estar. Ignora los agujeros en la trama y las ocurrencias chorras. El amor no es articulado la primera vez que nos sonrojamos. Tampoco suelen serlo la mayoría de las ideas importantes.

Estudia con atención el texto y asegúrate de que vas a querer ver completada la novela implícita en tu borrador.

* * *

Una vez que has tomado la decisión de seguir adelante, se te presentan diversas opciones. Los caminos son numerosos, pero todos resultan accesibles, o bien mediante el enfoque intuitivo, o bien mediante el estructurado.

Puede que desees volver a empezar desde la página uno, reescribiendo frases al mismo tiempo que vas reforzando la temática. Quizá decidas repasar la novela limitándote a corregir únicamente ciertos elementos concretos (por ejemplo: pulir los diálogos, la ortografía, eliminar repeticiones) y tomando notas para futuros borradores cada vez que detectes un nuevo problema.

Al margen de la opción que elijas, mañana empiezan tus próximos nueve meses de revisiones.

los elementos de la reescritura

En este apartado voy a darte una idea de lo que es posible obtener mediante el proceso de reescritura, junto con unas cuantas sugerencias sobre detalles con los que deberías andar ojo avizor a la hora de intentar mejorar el desarrollo de la historia.

el nexo de personaje, historia, tema y trama

Cuando nuestro autor o autora comenzó a relatar la historia de la relación entre Marissa y su madre, operaba bajo la impresión de que Amor no era más que una fuerza controladora que se interponía como un obstáculo en el camino del crecimiento personal de su hija. Quizás la autora estaba pensando en su propia madre o en otras mujeres mayores cuya supuesta preocupación hubiese resultado ser un impedimento para ella.

Sin embargo, en el proceso de releer la historia, la novelista en ciernes se da cuenta de que Amor es un personaje monolítico. No realiza ninguna transición en el transcurso de la novela, a pesar de que, evidentemente, se trata de uno de los personajes principales.

La autora deja constancia del problema. «¿Qué hacer con el desarrollo de personaje de Amor?», anota en la parte inferior de la página 180.

Más tarde, durante la novena relectura, una frase llama inesperadamente su atención. Pongamos que Trip sale de la cárcel y que, a pesar de que estaba teniendo una aventura con la mejor amiga de Marissa, ésta le permite volver a casa. Furiosa con su hija, Amor le espeta: «Ese hombre es como un perro callejero sin correa».

La declaración no tiene sentido: por supuesto que los perros callejeros no tienen correa. El primer impulso de la autora es eliminar ese fragmento de diálogo, pero… por otra parte, *quizá Marissa pueda percatarse de que la frase no tiene sentido, lo que le servirá para aprender algo sobre su madre.*

Parece una buena idea. La autora añade esta reflexión al diálogo interno de Marissa. Sin embargo, pocas páginas después se reencuentra con su nota sobre la falta de caracterización de Amor. Lo cual le hace pensar de nuevo en el comentario de los perros callejeros sin correa. ¿Qué podría haber querido decir con eso? No parece una expresión propia de Amor; resulta mucho más probable que dijese algo como «Trip es un perro callejero que debería ser sacrificado». Sin embargo, quiere ponerle una correa…

Como no da con la respuesta, la autora deja aparcado el problema y continúa retocando frases y buscando palabras repetidas. Luego, aproximadamente una semana más tarde, vuelve a la declaración del perro callejero. Amor parece estar preocupada por Trip; piensa que Marissa no está capacitada para lidiar con un hombre como él. A lo mejor cree que resulta perjudicial para Trip haberse emparejado con una mujer que no sabe cómo meterle en vereda para hacerle entender que no es un puñetero vaquero de la tele.

De ser así, quizás Amor tenga una historia pasada, una época en la que amó demasiado a un hombre. Y quizás esté convencida de que su amor descontrolado provocó la muerte de esa persona. El amor mató a su hombre. La frase cobra un doble sentido. La relación de Amor con su hija resulta más comprensible, su odio por Trip queda un poco más claro, y la posibilidad de que pueda aprender algo (o como mínimo de que acabe reconociendo sus sentimientos) desata el potencial para que su personaje experimente cambios en el transcurso de la historia.

De hecho, la historia de Amor podría ser el tema subyacente de la novela. A lo mejor resulta que los personajes buscan verse reflejados en sus seres queridos, en vez de amarles por lo que son.

La novela comenzó como el relato de una joven atribulada debido a las imposiciones de personas que dicen profesarle cariño, pero no se lo demuestran. Sin embargo, a partir de la irrupción de este concepto del perro callejero, hemos empezado a ver a Marissa bajo una nueva luz. De ser la personificación de la inocencia, su candidez ha pasado a resultar peligrosa. Amor y Trip podrían ser sus víctimas. De modo que, en vez del final rutinario hacia el que se encaminaba la novela —nuestra protagonista se muda a Phoenix, donde se enamora de su guapo y rico jefe—, ahora terminamos acompañando a Marissa al cementerio, donde se están celebrando de manera simultánea el funeral de su madre y el de su amante.

La novela ha virado del romance hacia la comedia negra, y la autora procede a introducir en la vida de Marissa momentos que parecen inocentes, pero que sumados unos a otros acaban dando como resultado una fuerza de la naturaleza que arrasa de manera inconsciente con todo y todos cuantos la rodean.

* * *

Esto, me parece a mí, es un buen ejemplo de los hallazgos que pueden surgir durante el proceso de reescritura. Si sopesamos cada frase y cada elemento de la novela, éstos se irán cohesionando y entrelazando hasta darnos una historia de la que podamos estar satisfechos.

el diablo y los detalles

El ejemplo anterior ilustra las cuestiones más importantes y a la vez generales que debemos afrontar durante una reescritura eficaz. ¿De qué va la novela? ¿Cómo se relacionan entre sí los personajes y qué cambios producen en ellos esa interacción? ¿Qué significa todo?

Estas nociones generales son relevantes, pero si no escribes una novela accesible para el lector, nadie se va a molestar en seguir leyendo hasta desentrañarlas.

A continuación abordaremos los detalles de la reescritura de cualquier obra de ficción en prosa.

repetición

En primer lugar, debes suprimir todas las repeticiones superfluas de palabras y frases. «Puntilloso», «flatulento», «moribundo», «piel cetrina», «paredes machihembradas»... palabras y expresiones como estas —la gran mayoría, en realidad— no deberían repetirse hasta haber dejado como poco bastantes páginas entre medias. Mejor aún: no deberíamos usarlas más de dos o tres veces como máximo en toda la novela.

Como bien podría explicarnos cualquier poeta, la repetición se utiliza para llamar la atención sobre una palabra o verso en cuestión. Quizá la palabra tenga más de un significado (por ejemplo: «Amor», como nombre y emoción). Quizá refleje un profundo estado emocional. «Estoy rodeado de muerte. Muerte, con sus ojos ciegos y su risa amarga; muerte, con sus anécdotas silentes y sus promesas rotas; muerte, la eterna visitante, que ya vino al encuentro de mis padres y de sus respectivos padres, de los padres de sus padres».

Si vas a repetir una palabra o una frase, más te vale tener un buen motivo para ello. Puede que sea necesario para crear un ambiente o para recalcar un deseo profundo. Quizá tu uso de la repetición revele algo sobre la historia; de otro modo, elimínala. Si la palabra repetida te parece necesaria, abre el diccionario y busca un sinónimo. Si no hay ningún equivalente apropiado, reescribe la frase. Y si la frase se resiste a ser reescrita… en fin, está bien, puedes usar la repetición. ¡Pero sólo esta vez!

descripciones y condensación

Cualquier situación o acontecimiento en la vida, hasta el más sencillo, está compuesto por cientos de acciones y circunstancias. Basta con que eches un vistazo a la habitación en la que te encuentras ahora mismo: el número de sillas, mesas y cuadros; las temáticas de dichos cuadros; el color de las paredes o de la alfombra; las aberraciones cromáticas producidas por dichos colores. Puede que haya un moscón volando junto al techo o un mosquito muerto entre gurruños en un rincón, detrás del sofá. ¿A qué temperatura está la habitación? ¿Cuántas personas la ocupan? El techo, ¿es alto o bajo? ¿Se trata de una estancia espaciosa? ¿Hay más sonidos al margen del zumbido del moscón? ¿Llegan ruidos del exterior? Si hay más personas en el cuarto, es posible que estén hablando. ¿Entiendes lo que dicen? ¿No? ¿Por qué motivo? ¿Se debe a que están susurrando o a que hablan en un idioma extranjero? (También podría ser que hayas ido perdiendo oído con la edad). ¿Cómo van vestidos?

Las precedentes son observaciones más o menos objetivas sobre el entorno en el que podría encontrarse un personaje. La cuestión es que ahora dicho personaje se pone en movimiento. Digamos que coge una taza de café (¿del asa o directamente del cuerpo?) y se la lleva a los labios para darle un sorbo. ¿Cómo está el café? ¿Caliente? ¿Templado? ¿Se ha quedado frío?

Nuestro protagonista se encuentra sentado delante de un segundo personaje, una mujer que le resulta atractiva. ¿Cómo viste? ¿Cuántos años tiene? ¿Cuál es su expresión? ¿Tiene irregularidades visibles en la piel?

Podríamos seguir así eternamente. Los detalles son interminables y acabarán abrumando tu historia a menos que sepas controlarlos. Incluso los acontecimientos más interesantes acaban hundiéndose bajo el peso de un exceso de detalles.

Supongamos que el hombre y la mujer salen de la cafetería de un hotel y suben a su cuarto para hacer el amor. Si tomas nota de todas y cada una de las acciones implícitas en este hecho, la progresión del mismo se eternizará hasta lo insoportable. Él le pone una mano sobre el hombro.

Ella desvía la mirada. Él le acaricia el antebrazo y se percata de que, al otro lado de la ventana de la fachada norte, una nube oscura atraviesa el cielo. Ella le pasa suavemente la palma de la mano izquierda por la mejilla derecha. Se miran mutuamente a los ojos... Dieciséis páginas más tarde, empiezan a prepararse para el segundo beso.

Los detalles acabarán devorando tu historia a menos que encuentres las palabras justas y necesarias.

* * *

Los únicos detalles que deberían formar parte de tus descripciones son aquellos que contribuyen a que la historia avance o los que mejoran nuestra comprensión de los personajes. Los únicos detalles que deberían incluirse en cualquier descripción son aquellos que ayudan a que la historia avance o los que mejoran nuestra comprensión de los personajes. (¿Has visto? ¡Las repeticiones sirven para algo!). De tal manera, podría ocurrir que, cuando nuestro protagonista, Van, entra en la cafetería, se siente nervioso ante la perspectiva de hablar cara a cara con Rena, la mujer que le atrae. Puede que el moscón ponga de manifiesto su inquietud. Ese es el motivo de que se fije en su zumbido solitario mientras traza círculos junto al amplio techo, revolotea frente a las escenas pastorales de los cuadros en las paredes y finalmente termina por posarse en la alianza de oro que resplandece como un ambarino faro antiniebla alrededor del dedo índice de Van.

Podrías añadir otros detalles, pero, una vez más, únicamente deberías emplearlos en caso de que sirvan para reforzar la historia o la trama, el desarrollo de un personaje o el tono de la escena.

La temperatura de la sala es elevada. Van lo sabe a pesar de que él nota todo el cuerpo helado. Lo sabe debido a las tres gotas de sudor que han asomado a la frente de Rena. Los murmullos de los hombres sentados dos mesas más allá ponen a Van de los nervios. Se pregunta qué estarán diciendo. Se esfuerza de tal modo por captar sus palabras que no alcanza a oír lo que le acaba de decir Rena.

La conciencia de los detalles llega a la novela a través de las experiencias y las respuestas emocionales de tus personajes. Si usas esta regla como guía, podrás eliminar la mayor parte de añadidos superfluos en cada pasaje.

* * *

No obstante, existe otro nivel de descripción y condensación que también has de tener en cuenta: no deberías ofuscar al lector ni dificultar la comprensión del comportamiento de tus personajes mediante la acumulación de detalles excesivamente recargados y/o ambivalentes.

Van estaba furioso, colérico, iracundo, la rabia lo tenía fuera de sí.

En este caso, el aspirante a escritor pretende construir una sensación mediante la acumulación de tres adjetivos y un enunciado, todos los cuales vienen a decir algo parecido. Cada vocablo es más poderoso que el precedente, hasta llegar a una frase de siete palabras para rematar la oración.

El problema de usar este tipo de lenguaje y de estructura para explicar los sentimientos de Van es triple. En primer lugar, las palabras se contradicen unas a otras. ¿Cómo está Van, furioso o fuera de sí? ¿Colérico o iracundo? En segundo lugar, incluso si aceptáramos que los adjetivos están ahí para crear una progresión hacia una especie de explosión personificada, continuaremos sintiéndonos desconcertados por esos aspectos de la definición de cada adjetivo que convierten lo dicho en una especie de repetición. Siempre da mejor resultado presentar ante los lectores un solo estado emocional en cada momento dado*. El tercer problema que nos presenta esta descripción de la furia de Van es que plantea la pregunta de quién es la persona que nos está transmitiendo la información; ni siquiera un narrador omnisciente se mostraría tan alejado del personaje como para expresarse en términos tan objetivos pero sentenciosos. Más que una experiencia vivida en carne propia, la descripción del enfado de Van parece una frase de pegote.

---

* A menos, claro está, que sea el personaje el que esté sintiendo emociones ambivalentes o contradictorias.

Entonces, ¿cómo la arreglamos? Hay muchas maneras. Si lo único que te perturba es la voz narrativa, puedes convertir la declaración en un diálogo. Quizá Rena le cuente a una amiga lo que ella ha supuesto que estaba sintiendo Van tras haberle visto aplastar de un manotazo al irritante moscón. Dependiendo de cómo sea su carácter, la frase podría ser adecuada para ella. Los diálogos de tus personajes pueden ser torpes, excesivamente engolados, inarticulados y un montón de cosas más que la voz narrativa de la novela jamás se podría permitir. Si creemos que Rena tiende a comunicarse de manera reiterativa y proclive a las repeticiones, aceptaremos la información y seguiremos leyendo sin poner en tela de juicio lo dicho.

También podríamos librarnos de todos los adjetivos y limitarnos a contar que Van aplasta el moscón y después se queda mirando los restos del insecto con torva satisfacción.

O podríamos hacer que Van diga algo exagerado y completamente inapropiado para una escena de seducción.

«¡Me cago en esa puta mosca!».

Aunque lo más sencillo sería suprimir la frase y proseguir sin ella. Puede que la rabia, la ira o la furia de Van no sea tan relevante para la historia.

Intenta limitar en todo momento el lenguaje de tu novela. ¿Es realmente necesaria esa palabra? ¿Esa frase, ese párrafo, ese capítulo? La mayoría de los autores tienden a escribir de más. O bien se enamoran de su uso del lenguaje, o bien quieren asegurarse de que los lectores lo entiendan todo.

Pero, como ya hemos visto anteriormente, uno nunca puede llegar a expresar la totalidad de nada. La realidad contiene demasiados detalles. La ficción es una colusión entre el lector y la novela. Si has incorporado a tus personajes en la historia de tal modo que sus emociones coloreen y definan su entorno, descubrirás que los lectores están predispuestos a ir contigo de la mano, creando en el proceso un mundo mucho más amplio. No será exactamente el mundo que tú querías que vieran, pero se le parecerá lo bastante. A veces, será incluso mejor.

* * *

Debes poner a prueba la validez de cada frase, formulándote las siguientes preguntas: «¿Tiene sentido? ¿Plasma de manera adecuada algún rasgo del personaje? ¿Genera la emoción adecuada? ¿Es excesiva? ¿Es coherente con la voz narrativa?».

En todas y cada una de las frases.

En todas y cada una de las frases.

diálogo

El modo en que se expresan tus personajes es tan importante como lo que dicen:

—De repente se me acerca un pavo diciendo que sabe
cómo me llamo —dijo Roger—. Le respondí que más le
valía no buscarme las cosquillas.

Ya sólo esta breve muestra de diálogo nos permite saber bastantes cosas sobre Roger. Es un tipo airado y proclive al enfrentamiento. Puede que tenga miedo de algo y claramente se identifica con cierta sensibilidad callejera. Probablemente no tenga una educación muy amplia, pero hace gala de cierto aprecio por el lenguaje. Entendemos que el diálogo de Roger tiene el potencial para revelarnos cosas que él jamás reconocería en voz alta.

—¿Qué pasa? —le preguntó Benny a Minna.
—Nada
—Venga —insistió él, acariciándole el dorso de la mano
con un dedo para alentarla.
—Um...

En este caso apreciamos una incomodidad implícita en Minna. Benny es consciente de ello y nos lo revela en el momento de interrogar a su amiga, intentando animarla para que se abra. Ha visto más allá de la máscara. Podría ser que estas pocas palabras tengan como propósito desvelarnos la dinámica que impera en la relación entre ambos, en vez de conducirnos a la revelación de un problema personal.

* * *

Muchos novelistas novatos emplean los diálogos para transmitir información a los lectores. Por ejemplo: «Me llamo Frank, vengo de California». Se trata del uso más básico que podemos hacer de este recurso. Podría valer para una entrevista de trabajo o un encuentro casual en el bar, pero en una novela los diálogos tienen que funcionar a muchos otros niveles.

Cada vez que uno de los personajes de tu novela hable, debería lograr lo siguiente: 1) revelarnos algo sobre sí mismo; 2) transmitir información que bien podría servir para hacer avanzar la historia y/o la trama; 3) sumar a la melodía o el ambiente del pasaje, la historia o la novela en conjunto; 4) ofrecernos una perspectiva distinta sobre los acontecimientos (especialmente si el personaje que está hablando no está conectado de manera directa con la voz narrativa); y/o 5) añadir un factor de cercanía a la novela.

La mayoría de estos requisitos se explican por sí solos. Los dos últimos, sin embargo, merecen un análisis un poco más detallado.

Si tu novela está escrita en primera o tercera persona, vas a tener que realizar un poco de trabajo adicional en el caso de aquellos personajes que se estén comunicando de manera más directa con los lectores. Un narrador en primera persona, por ejemplo, podría no ser consciente de ciertos aspectos de su propia personalidad o del efecto que su presencia tiene en los demás. La autora quiere que sea humilde y por lo tanto incorpora a otro personaje para que exprese en voz alta lo que el narrador no puede decir (o quizá incluso ignora) sobre sí mismo.

—Todos te adoran —me dijo Leonard—. En serio, todos. Markham me ha dicho que el único modo de que me dejen volver es si te llevo conmigo.

El narrador podría contradecir lo que Leonard acaba de afirmar. Más adelante, seremos nosotros, los lectores, quienes podamos comprobar si tenía razón o no.

* * *

A ojos del novelista apasionado, el uso de un lenguaje cercano, pedestre o callejero podría parecer contraproducente. Aquí estás tú, narrando una historia de sentimientos profundos en el transcurso de la cual tus protagonistas van a experimentar cambios emocionales extraordinarios, y de repente aparezco yo para pedirte que uses diálogos prosaicos y coloquiales.

Pues sí, no lo dudes.

Si consigues que los lectores se identifiquen con la cotidianidad de las vidas de tus personajes y *luego* los conduces (tanto a los lectores como a tus protagonistas) hasta los momentos de éxtasis y profundidad, habrás hecho realidad la promesa de la literatura. Los lectores siempre van a buscar dos elementos en la ficción: a sí mismos y la trascendencia. El diálogo es una herramienta esencial para llevarlos hasta ella.

$$* * *$$

Entre los cinco puntos no hay ninguno que resulte particularmente complejo. Estoy convencido de que el novelista bisoño no tendrá la menor dificultad en lograr que un personaje secundario interactúe con el narrador en primera persona, aportándonos la información necesaria para ir desarrollando la historia. Explicar elementos de la trama por boca de un interlocutor tampoco es tan complicado…

El problema es llegar a aplicar tres o más de nuestras cinco reglas de manera simultánea. El problema es asegurarnos de que cuando Leonard nos está revelando algo sobre el narrador en primera persona también nos desvele algo sobre sí mismo *al tiempo* que hace avanzar la trama.

—Todos te adoran, no como a mí —dijo Leonard—. A Markham ni siquiera le importa que haya robado dinero para él. Me ha dicho que, si no te llevo conmigo, ni me moleste en volver. Eres la única a la que él y su pandilla quieren ver.

En apenas cuatro líneas de diálogo encontramos envidia, sentimiento de menoscabo, un dato relevante (que

Leonard es un criminal) y el efecto que la narradora provoca en otras personas.

Puede que la información contenida en este ejemplo en concreto sea demasiado tosca, pero estoy seguro de que servirá para que veas a lo que me refiero. Los diálogos de tu novela son mucho más que un simple reflejo de la manera de hablar de tus personajes. Son una forma sofisticada de ficción.

* * *

Tienes a tu disposición muchas técnicas distintas para otorgarles voz a tus personajes: pueden mantener conversaciones entre sí, pueden escribir y leer cartas, pueden dejar mensajes en contestadores automáticos; alguien puede contarle a otra persona algo que le ha oído decir a un tercero; un personaje puede escuchar a escondidas la conversación de otro. Las personas gritamos, susurramos, mentimos y parecemos estar diciendo una cosa cuando en realidad queremos decir otra.

El diálogo es una fuente inacabable de placeres, pero tienes que clavarlo.

No intentes reproducir jergas o dialectos a menos que estés completamente seguro de estar utilizándolos correctamente. Si la cagas en esto, echarás a perder la credibilidad de toda la novela. En relación con esta advertencia, recuerda que «menos es más» es una regla también aplicable al uso de acentos, dialectos y giros coloquiales.

«Sí, ya lo he guipado».

Si estás seguro de que este coloquialismo es el indicado, por supuesto utilízalo, pero plantéate redondear la idea mediante una explicación en vez de recurrir a más jerga:

—Sí, ya lo he guipado —dijo Bobby Figueroa, cuando le conté que el hermano de Susan andaba buscando a Johnny Katz por todo el barrio.

Como dicen en el boxeo, «protégete en todo momento». Si no estás completamente seguro del modo en que un personaje en concreto diría algo, busca otra manera de transmitir la misma idea.

Una última nota sobre los diálogos: una novela no es una obra de teatro. No permitas que toda la historia dependa de conversaciones. No intentes contener toda la trama en los diálogos. Al igual que ocurre con las metáforas, un uso excesivo del diálogo puede desconcertar y distanciar a tus lectores de la experiencia literaria.

la paja en el ojo ajeno

Durante tus meticulosas reescrituras, uno de los problemas a los que tendrás que prestar particular atención será la ramplonería de la prosa.

He ido a la tienda y he comprado una docena de manza-
nas. Después, he vuelto a casa y se me ha ocurrido llamar
a Marion. Me ha dicho que está muy ocupada y que no
podrá ir al baile.

No voy a intentar reescribir para ti este ejemplo de prosa flácida. Estoy seguro de que, llegados a este punto, habrás detectado rápidamente varias maneras de mejorarlo. Así pues, lo que te voy a pedir en cambio es que tomes estas tres frases como punto de partida y las conviertas en algo más.

Plantéate qué tipo de personaje es el narrador que nos está hablando, el posible drama que ha imposibilitado que Marion acuda al baile, los detalles omitidos y las interrelaciones entre nuestros protagonistas. A partir de ahí, convierte las frases en un posible arranque para una novela. No escribas más de una página. Finge que te la ha pasado un amigo novelista que desea contar una historia pero, por algún motivo, ha perdido el norte.

No soy muy dado a mandar deberes. Creo que tu único ejercicio debería ser la novela en sí. Pero, en este caso, hay un motivo.

La mayoría de los escritores, particularmente los recién llegados al oficio, son perfectamente capaces de identificar los problemas presentes en la prosa de otros autores sin dejar por ello de seguir estando ciegos respecto a los propios.

Este ejercicio debería ser una experiencia a tener en cuenta cuando llegue el momento de volcarte en las revisiones de tu novela.

música

En la historia de la humanidad, el lenguaje y las canciones siempre han ido de la mano. Hablar, cantar... ¡es nuestra herencia! Los poetas saben que los poemas son canciones, pero pocos de nosotros somos conscientes de que las novelas también lo son. Si tu novela carece de musicalidad, de son, la obra quedará incompleta en el mejor de los casos. Tendrás que hallar un ritmo propio para tus personajes; una cadencia única y singular en el habla de cada uno de ellos; una cacofonía identificable para el ambiente (o ambientes) por los que circulen. En cuanto a la historia, deberías otorgarle un compás que, cuando varíe, señale de manera casi inconsciente al lector que el devenir de los acontecimientos está a punto de experimentar un cambio.

Las novelas, al igual que las composiciones musicales clásicas, tienen movimientos. No obstante, al contrario que las óperas o las sinfonías, carecen de reglas y notaciones. No hay partitura. No existe una teoría musical de la prosa. Estas verdades son al mismo tiempo abrumadoras y emocionantes. Nadie te va a explicar cómo «componer» la partitura de tu novela, lo que significa que vas a tener que descubrir la música por tus propios medios.

«¿Y cómo lo consigo?», puede que te preguntes.

La respuesta es sencilla. Cómprate una grabadora y, cuando te hayas hartado de reescribir, lee tu novela en voz alta ante el micrófono. Sí, el libro entero, de cabo a rabo. Probablemente tengas que dedicarle siete u ocho jornadas de trabajo, pero merecerá la pena. Cuando te escuches a ti mismo leyendo, cuando oigas tu prosa en voz alta, el sonido de tus personajes y sus ambientes se abrirá ante ti como una flor. Comprobarás si la tía Angie habla realmente con el deje que deseabas otorgarle cuando la imaginaste. Te darás cuenta de qué detalles faltan en tus escenas callejeras. A la cabeza te vendrá el canto de los pájaros, el murmullo de los transistores y los bramidos de morsa con los que se expresa el tipo grandote y hosco que le salvó la vida a tu protagonista.

Una grabación de tu novela servirá para mucho más que para simplemente ayudarte a afinar la musicalidad de la obra; también te ayudará a detectar detalles que se te pasaron por alto al releerla en silencio. Identificarás frases y expresiones incorrectas, fuera de lugar o repetidas en exceso. De repente, serás consciente de que la trama tiene agujeros del tamaño de un túnel y de la cantidad de erratas que todavía permanecen en el texto. Esto sucede así porque, cuando llevas un tiempo reescribiendo, empiezas a estar demasiado familiarizado con la novela y sabes lo que estás (re)leyendo sin tener que esforzarte en desentrañar lo que realmente has escrito. Pasas inadvertidamente por alto los errores porque en tu fuero interno ya sabes lo que quieres decir.

No puedo recalcar lo bastante la importancia que puede llegar a tener esta grabación para tu obra. Quizá lleves ya cuarenta semanas trabajando en ella. Es un buen momento para hacer balance y reflexionar sobre lo logrado. Una lectura grabada es la manera perfecta de poner a prueba la valía y la musicalidad de tu novela.

* * *

Aun en el caso de que no quieras grabarte leyendo el libro (o si no te puedes permitir una grabadora y tampoco conoces a nadie que te pueda prestar una), todavía podrías sacarle mucho partido al simple hecho de leer la novela en voz alta para ti mismo. Ya sólo este simple ejercicio te permitirá experimentar la historia de otra manera.

También podrías, si tienes amigos o seres queridos extremadamente pacientes, leerles en voz alta a uno o varios de ellos. No hará falta que los atormentes demasiado. Ya sólo leerles cinco páginas te ayudará sobremanera a mejorar la reescritura.

¿cuándo habré terminado de reescribir?

Nunca. Una novela jamás va a ser perfecta. Por mucho que reescribas, revises y sigas reescribiendo, seguirás encontrando detalles en el libro que no transmitan con total exactitud lo que pretendías. Seguirás considerando que algunos de los personajes quedan un poco desdibujados y que algunos elementos de la trama no acaban de encajar. Habrá una subtrama que parecerá perderse en el olvido y un personaje bastante relevante que cambiará, pero no tanto como a ti te hubiera gustado.

Esto es cierto y aplicable a todos los escritores que trabajen en cualquier medio. Ningún libro va a ser nunca como una ecuación matemática, prístina y perfecta. Las novelas son una representación de la humanidad y, por tanto, inherentemente fallidas.

Me veo venir la pregunta: «Entonces, ¿cómo sabré cuándo debo parar?».

Cuando, por mucho que te esfuerces, seas completamente incapaz de mejorar lo que tienes aunque sigas viéndole pegas. No hay más. Si te encuentras leyendo tu novela por vigesimoquinta vez y sigues detectando problemas, intentas solucionarlos, pero cada uno de tus intentos únicamente sirve para empeorar el resultado… sabrás que has terminado. Llegó el momento de dejarlo.

Enhorabuena. Has completado una novela. No ha quedado mal. La próxima será mejor.

5

Miscelánea

sobre la literatura de género

Una novela es una novela es una novela. Una crónica delictiva es una novela. Una historia romántica es una novela. Un relato sobre alienígenas que llegaron a la Tierra hace milenios para crear a la raza humana también es una novela. La mayoría de los libros contienen elementos criminales, misteriosos, románticos o fabulosos. Nadie que se tome en serio la literatura menospreciaría *Cien años de soledad* debido a sus elementos fantásticos. Nadie desdeñaría *El extranjero* porque incluye pasajes criminales y judiciales.

Todas las novelas comparten elementos similares. Tienen un comienzo, un nudo y un desenlace. Tienen personajes que cambian y una historia que te implica; tienen tramas que hacen que la historia avance y una musicalidad que sugiere un mundo.

En estos aspectos, todas las novelas son iguales, pero si te impones a ti mismo la tarea de escribir una obra adscrita a un género en particular, harás bien en prestar atención a las convenciones de ese tipo de relatos. Una novela de misterio, por ejemplo, suele tener una trama compleja responsable en gran parte de mantener vivo el interés del lector. ¿Dónde está la chica desaparecida? ¿Quién asesinó a Cock Robin? En estos casos, la historia suele girar en torno al enigma generado por un crimen, pero aun así vas a tener que darte buena maña desarrollando personajes, ideas, relaciones y temas.

Una novela romántica tiende a centrarse en las complicaciones y los desengaños amorosos. Esta clase de ficción presta particular atención a las relaciones pasionales, su imposibilidad y su trascendencia. No obstante, insisto: sólo parte de la novela estará centrada en estas cuestiones; el resto es una historia como todas las demás.

Las novelas del Oeste nos hablan sobre un momento, un lugar y las personas que vivieron en ambos. La ciencia ficción especula sobre los conocimientos que podríamos llegar a tener en un futuro basándose en el conocimiento que tenemos del presente. Los *thrillers* judiciales exigen un proceso, jueces y abogados, agentes de las fuerzas del orden y un acusado.

Si decides abordar un género, naturalmente que deberías estar ligeramente familiarizado con sus convenciones, pero nunca deberías permitir que la forma cobre más importancia que la novela que estás escribiendo. Todas las novelas tratan sobre unos personajes determinados y sobre las transiciones físicas y emocionales experimentadas por ellos con motivo de una historia que vamos a revelar mediante una trama precisa.

una nota sobre el estilo

Puede que hayas comprado este manual movido por las más elevadas aspiraciones y ambiciones literarias. Es posible que hayas leído a Ellison y a Bellow, a Morrison y a Melville. Y que tu sueño sea crear una novela que pueda dialogar de tú a tú con las de estos y otros grandes titanes de la literatura. De ser así, también es posible que la lectura de las páginas precedentes te haya desilusionado ligeramente. Quizá llegaste buscando una epifanía y lo único que has encontrado ha sido un chiste.

Si consideras que el párrafo anterior expresa más o menos tus sentimientos, sólo tengo una cosa que decirte: «No desesperes». El único propósito de este librito es enseñar los rudimentos de la escritura novelística. La grandeza surge del corazón del autor, no de la técnica. Una gran novela no tiene por qué ser obra de un consumado estilista. Ser un prosista dotado de una impecable técnica literaria no garantiza necesariamente la capacidad para crear obras de arte.

Incluso si estás destinado o destinada a ser una novelista aclamada por la crítica, vas a tener que aprender necesariamente las lecciones aquí expuestas. Lo único que puedo aportar yo son los ladrillos y el mortero: el diseño arquitectónico y el arte son cosa tuya.

talleres de escritura

Los talleres de escritura resultan útiles para muchas personas. En cualquier caso, no estoy convencido de que sean necesarios para todas. Aprendemos mediante un proceso de prueba y error. Los talleres están basados en experimentos fallidos. Te presentas en un aula con tu relato o capítulo y todos los presentes, al margen de su experiencia, opinan sobre las cosas que has hecho bien o mal.

Algunas de las críticas estarán justificadas y te podrán ser de utilidad; otras andarán completamente desencaminadas. Pero, al margen de lo que pueda decir cualquiera, su perspectiva no va a partir de una idea originada por ti, de modo que tendrás que coger con pinzas todas estas opiniones externas.

El elemento que, personalmente, me resultó de mayor utilidad en estas sesiones críticas llevadas a cabo en los talleres de escritura fue lo que los participantes, particularmente el maestro, tenían que decir sobre los problemas presentes en el trabajo de *los otros* alumnos. Sus análisis constructivos de la prosa de otras personas podían resultarme objetivos en la medida en que no me jugaba nada personal en ello, pero parecía probable que pudiera encontrar los mismos problemas en mi trabajo.

Siempre se pueden aprender cosas en las aulas, pero esa no es la única utilidad de los talleres de escritura. Las dos ventajas más beneficiosas están interrelacionadas: sensación de comunidad y el posible establecimiento de una red de contactos literarios.

Escribir en Estados Unidos puede ser una experiencia solitaria. No se trata de una ocupación demasiado respetada (a menos que hayas escrito el guión de una película taquillera). La mayoría de los estadounidenses no sienten el menor interés por los autores en ciernes. Si dices que te dedicas a escribir, lo primero que te preguntan es: «¿Has publicado algo?».

Sin embargo, en los talleres de escritura todo el mundo comparte un mismo interés por el proceso literario y por la vida de los novelistas. Tus camaradas en este ambiente te preguntarán sobre los proyectos en los que estás trabajando y qué estás haciendo para promocionar tu obra. Esta creación de un sentimiento de comunidad nos conduce a la siguiente utilidad de los talleres de escritura: te van a permitir conocer a personas empeñadas en presentar su obra ante el mundo. Vuestras conversaciones girarán en torno a revistas literarias, agentes, premios, editores, sellos alternativos, etcétera.

Si de verdad estás interesado en tener una carrera como escritor —o simplemente deseas que te vayan publicando de vez en cuando— los talleres pueden ser útiles.

organizaciones literarias, agentes, editores... y cómo conseguir que te publiquen

Lograr que alguien publique tu novela es otra labor propia de Sísifo. Tendrás que ascender el Monte Editorial empujando tu(s) manuscrito(s) y verlo(s) despeñarse numerosas veces antes de conseguir llegar con uno de ellos hasta la cumbre. En este momento de mi carrera, tras haber publicado veintisiete libros y como poco el mismo número de cuentos, sigo acumulando negativas con frecuente regularidad. Hace poco escribí un relato que fue rechazado por todas las revistas importantes. Tras haber acudido a los medios grandes, acudí a los independientes. Ni por esas. Nadie me lo va a publicar. Nadie.

Así pues, no te desesperes. Aceptar el rechazo forma parte integral del trabajo.

A pesar de ser un novelista publicado, no considero tener unas cualificaciones especiales que me permitan decirles a otros cómo conseguirlo. En mi caso, estaba estudiando escritura en la CCNY cuando mi mentor en dicha institución, Frederic Tuten, le pasó el manuscrito de *El diablo vestido de azul* a su agente. Ésta aceptó representarme.

Claramente, mis vivencias no me convierten en un experto en estrategias para obtener un contrato de edición.

Hay varios medios que suelen elaborar listados de todas las revistas, agentes y editoriales abiertos a recibir propuestas de autores. Existen organizaciones para cada género: por ejemplo, la MWA (Escritores de Misterio de América) publica un boletín y organiza varias convenciones en las que se ofrecen talleres sobre todo tipo de cuestiones relacionadas con el negocio de la novela negra y de misterio. Otros géneros cuentan con organizaciones similares. Si eres estudiante o docente, están los AWP (Programas de la Asociación de Escritores y Escritura), que también cuentan con su propio boletín y una convención con talleres muy informativos.

* * *

Una pizca de información útil que sí te puedo aportar es que, si quieres publicar esta novela (la que has escrito este año) con alguna de las grandes editoriales de Nueva York, vas a necesitar una agente literaria.

¿Y cómo consigue uno una agente?

La mejor manera es a través de alguien que conozca y trabaje con dicha agente. Una conexión personal siempre es lo mejor. A falta de esto, es posible que durante tus visitas a librerías y bibliotecas hayas ido identificando cierto número de novelas contemporáneas que consideres que resuenan con tu propia obra. Telefonea a los editores de dichas obras y pregunta quién representa a esos autores. Obtén la dirección de la agencia y envíales una carta explicando quién eres (básicamente, un currículum), qué es lo que has escrito y los modos en que tu obra encaja con las novelas de otros autores ya representados por ellos. En el mejor de los mundos, el agente o la agente te pedirá una muestra de tu novela. A partir de ahí, cruza los dedos.

La única advertencia que tengo para ti es que jamás deberías trabajar con una agencia que cobre a cambio de sus servicios. Su objetivo debería ser ganar dinero con la venta de tu novela, no contigo.

6
En resumen

Pues ya estaría. ¡Eso es todo lo que sé sobre la escritura de novelas en poco más de 25.000 palabras! Ahora el trabajo depende de ti. Estoy seguro de que si escribes a diario y sigues estas lecciones al pie de la letra, acabarás escribiendo una novela competente. El proceso te transformará. Te dará seguridad en ti mismo, te aportará placer y un entendimiento más profundo de lo que piensas y lo que sientes; te convertirá en un artesano de la palabra y en un artista en ciernes.

Puede que incluso haga más cosas.

Índice onomástico

ÚLTIMOS TÍTULOS PUBLICADOS

Esta edición de
Este año escribes tu novela, de Walter Mosley,
se terminó de imprimir en
el mes de noviembre
del año 2023